Universale Economica Feltrinelli

ROSSANA CAMPO
IL PIENO DI SUPER

Feltrinelli

ISBN 88-07-81340-8

Les enfants sont des prisonniers politiques.

J.L. GODARD

Dai ricordi di giovinezza di Francesco De Sanctis: "La mattina, la mamma mi fece mille tenerezze. Si staccava il bambino dal petto, e mi avvicinava, ridendo, la mammella, con l'aria di chi dice: 'Ti ricordi?'." Ci si domanda che cosa gli mostrava il padre.

ALBERTO SAVINIO

1.

Perché andiamo sempre a casa della Silvia Padella

Comincio col raccontare degli incontri che facciamo noi amiche femme in casa della Silvia Padella. La Silvia ha questa grande fortuna che il padre fa il camionista, e la madre che invece fa la parrucchiera. Il padre se ne sta via di casa per settimane e settimane e anche mesi e mesi a volte, se deve andare all'estero, la madre invece sta via tutto il giorno nel negozio.

La casa della Silvia Padella è il posto dove veniamo a conoscenza di quanto c'è di più interessante nella vita. Così ecco che appena cominciamo a fare la salita che ci porta su verso la casa di Silvia si sente che abbiamo tutte una grande esaltazione dentro. La Michi dice sempre: Uh sento come se mi scappa, uh mi scappa da matti.

Invece alla Gabri viene subito paura e dice: Cribbio se lo sa mia madre mi apre il culo. Porca madosca se lo sa mi fa un culo come una casa.

La Padella abita su per la salita vicino alla chiesa e per questo noi abbiamo la comodità di andarci ogni volta che saltiamo le lezioni di dottrina cattolica dove sia le suore che la maestra ci obbligano a essere presenti promettendoci che moriamo giovani e anche con la possibilità di marcire all'inferno nel caso che disubbidiamo.

In questa casa noi impariamo a conoscere il mondo e le cose proibite che si possono fare quando un giorno si diventerà grandi, dato che le nostre discussioni consistono tutte in argomenti che hanno per tema il sesso, in che cosa consiste e che cos'è di preciso.

Parlare parlare la Bruna che è quella più grande e che è già uscita con Tore facendosi toccare dalla vita in giù, dice sempre che con noi babanette non ci viene più perché si annoia e che noi siamo fissate ma non concludiamo mai niente.

La Michi ribatte che una babanetta lei non lo è per niente e che anzi sa tante di quelle porcate che la metà basta.

La Gabri lei dice che le cose le farebbe eccome solo che se poi lo viene a sapere la madre glielo apre.

La Dani invece ci ha un'altra spiegazione che è questa: che ora noi qui è come se facciamo un allenamento, così impariamo tutto e poi quando ci si presenta l'occasione buona e troviamo un maschio siamo pronte e non sfiguriamo.

Quando ci gira facciamo anche delle feste in questa casa. Noi vorremmo invitare magari anche dei maschi però il problema è che quelli che conosciamo sono tutti cessi e bacati nella testa e hanno solo voglia di fare i loro giochi da scemi tipo il pallone o le biglie, e allora quello che ci diciamo è che c'è più soddisfazione a starcene fra noi femmine e basta. La Bruna dice però: La volpe e l'uva.

In queste nostre feste che organizziamo portiamo delle bottiglie di gazzosa oppure di spumetta al ginger, poi anche i gelati col biscotto e le patatine pai. Sulle patatine la Silvia ha inventato una canzone che riprende la pubblicità che fanno alla televisione che dice: patatina pai canta in bocca. E la Silvia ci aggiunge delle cose che si inventa lei e che sono tutte volgari come per esempio: dammi la tua patatina pai, ohi quando me la dai la pai eccetera.

Poi mettiamo anche della musica col mangiadischi che la sorella della Silvia le ha lasciato quando si è sposata. I dischi che abbiamo sono dei complessi moderni come: i Dik dik, gli Echip 84, i Nuovi Angeli eccetera. Ci sono anche certe musiche straniere che però ci piacciono molto meno perché non capiamo cosa vogliono significare. Però bisogna dire che c'è una canzone degli stranieri Rollin Ston che ha una musica molto triste e che ci piace da matti.

La Bruna ci garantisce che ha capito di cosa parla e ce la traduce. La storia racconta di una bella ragazza che ha come passatempo preferito quello di fare l'amore con tutti e un giorno a forza di farsi tutti si è fatta anche il cantante dei Rollin Ston e tutto il gruppo già che c'era, però questa volta lui il cantante si è innamorato sul serio perché si vede che lei lo ha fatto impazzire e allora lui ci è cascato. Fatto sta che lei poi se ne è andata e lui ci è rimasto malissimo. Lei se ne è andata perché è una cagna malata di sesso che deve cambiare uno due o anche tre maschi al giorno sennò non è contenta. Il cantante comunque ancora si ricorda di lei e scrive questa canzone per celebrare lei come era bella e come era una cagna malata di sesso e lui che è stato un cretino a perdere la testa per lei.

La Michi dice: Io non ci credo che la storia dice questo, tu ti inventi un sacco di balle.

Io invece crederci ci credo, e penso anche che è una storia d'amore molto bella, anche se è vero che come la racconta la Bruna è volgare.

2.

La descrizione dei dialoghi che si svolgono in casa della Silvia Padella

Continuo la descrizione di noi amiche in queste feste divertenti.

Spesso la Michi inizia chiedendo alla Silvia: Su raccontaci qualcosa di sporco.

La Silvia allora dandosi delle arie si mette seduta con le gambe incrociate e poi tira fuori una cincingomma e comincia a masticarla piano tanto per farci rimanere lì col fiato sospeso a aspettare i suoi discorsi.

Poi quando comincia dice: Allora, l'altro ieri sono andata a fare un giro e poi quando sono tornata sento qui nella casa dei rumori strani. Secondo voi cos'era?

Io dico: Un ladro.

La Silvia alza le spalle con aria scocciata e dice: Ma vaaaaa'...

La Michi dice: Io lo so. Erano i genitori che chiavano.

Sì! Dice la Silvia guardandomi male per umiliarmi.

E tu cos'hai fatto? Chiede la Dani.

Allora io ho chiuso piano la porta per non farmi sentire e mi sono messa lì bella tranquilla a scoppiarmi tutto.

Cosa sentivi? Chiede la Michi.

Prima sento mia madre che ci fa: E no Giuse e no così no, stai attento Giuse, stai attento. E mio padre intanto che ci fa: U-U-U-U-U...finché poi invece fa: UUUUU-UUhhhhhhhh...

La Michi si è esaltata, è diventata tutta rossa e dice: Bestiale! Anche i miei genitori fanno così! Tale e quale! Te lo giuro!

La Silvia dice: Sì però io una volta li ho visti.

NO! Fa la Dani.

Mado-onaaaa... fa la Michi.

Conta un po', fa la Bruna con l'aria di far vedere che però a lei non gliene frega tanto dei nostri discorsi di piciurille.

La Silvia dice: Mia madre era così, e intanto si allunga per terra e si mette a gambe all'aria, però non aveva niente addosso, era completamente nuda!

Bestiale! E poi? Fa la Michi.

Poi è arrivato mio padre che le dice: Ora te ne faccio gustare un po'. Prendilo che te ne faccio gustare un po'.

Che porci! Dice la Gabri.

Cosa vuol dire gustare? Dice la Dani.

La Silvia aggiunge: Certe volte invece dice: Vieni che ti faccio il pieno di super.

Il pieno di super!! Fa la Michi e si spancia dal ridere.

E poi cosa hai visto ancora? Chiede la Bruna.

Poi basta perché ci avevo la strizza che mi scoprivano.

La Michi chiede: Ma non hai visto delle altre cose?

Tipo? Fa la Silvia.

Be' tipo il pisello di tuo padre.

Voi siete troppo maiale, io non vi sto più amiche, dice la Gabri.

Ciao, dice la Silvia, sei ancora qui?

La Vale ci ha detto che certe volte il pisello di un maschio quando vuole una femmina diventa grandissimo, una cosa grande così, tipo un pallone, sostengo io.

Che cagata, dice la Bruna che lei lo ha già visto.

Lo sapete che ci sono certi che ce l'hanno così grande che non sanno come nasconderlo? Dice la Dani.

Ivo mi ha detto che il suo maestro ce l'ha così lungo che se lo lega alla gamba! Dice la Michi.

La Vale invece mi ha detto che il suo ragazzo ce l'ha duro come il ferro e anche se ci passa sopra un camion non si rompe.

Racconto dei giochi della nostra compagnia di amici e del mio modello di vita libera Pippi Calzelunghe

Parlo ora dei giochi che facciamo con la nostra compagnia di amici. Come ho già spiegato a noi femmine ci è toccata la disgrazia che tutti i nostri amici e compagni di scuola sono cessi e anche puzzolenti. Se vogliamo giocare con loro bisogna fare di quei giochi stupidi come giocare a biglie o ricalcare le avventure dei telefilm della televisione che raccontano le storie di indiani e cauboi e di detectiv.

C'è un telefilm che si intitola: Ai confini dell'Arizona, e narra storie di vita vissuta di cauboi senza paura che si chiamano: Blu, Gion, e delle loro mogli che si chiamano: Victoria, Katerin. Gli indiani invece si dividono in due categorie: quelli stronzi che danno la caccia agli scalpi dei visi pallidi e se possono violentano anche le loro mogli, e poi quelli generosi e buoni che fanno la spia e non stanno più dalla parte della loro tribù ma fumano il calumè della pace con i visi pallidi.

Giocare a questo a noi femmine ci annoia perché tutto quello che dobbiamo fare è preparare da mangiare e curare i mariti quando sono feriti, e poi correre via quando arrivano gli indiani che vogliono violentarci. I maschi invece si divertono un sacco perché devono fare lotte all'ultimo sangue, duelli e sparatorie.

L'altro telefilm che possiamo ricalcare è più divertente e si intitola: Attenti a quei due! e descrive le avventure dei due bellissimi attori americani Roger Mur e del suo amicone Toni Curtis. Questi due attori fanno gola a tutte le femmine e da grandi li vorremmo conoscere e sposare.

Il bello Roger Mur lo facciamo interpretare dal nostro amico Lele Zita che non è granché ma di sicuro è già meglio degli altri. Toni Curtis invece lo fa Stefano Pesce che è un tappo, dato che bisogna ammettere che Toni Curtis è più bassino di Roger Mur.

C'è ancora un telefilm che copiamo e è quello delle avventure del famoso cantante della canzone Nell'immensità Gionni Dorelli.

Gionni in ogni puntata del telefilm sgomina delle bande di imbroglioni o assassini servendosi dell'aiuto delle due sventolone gemelle Kesler. A questo proposito c'è la Michi che sostiene che Gionni cavalca tutte e due le gemelle insieme, ma io dico di no perché ha un aspetto troppo debole.

Le femmine che interpretano le due gemelle possono darsi delle arie e fare dei gesti da vamp. Gionni Dorelli lo facciamo fare a Ivo perché sennò si lamenta che nessuno gli fa mai fare delle parti importanti. Il fatto è che Ivo ha proprio una faccia da scemo totale e tutti gli cantano dietro: Ivo cane d'ulivo Ivo cane da caccia è più bello il culo della tua faccia. Però va bene per fare Gionni Dorelli perché anche Gionni non è un granché.

Io personalmente poi ho un mio idolo privato e si tratta della furbissima bambina coi capelli rossi Pippi Calzelunghe. Pippi è il mio modello di vita libera perché la madre non ce l'ha e il padre si è imbarcato su una nave e si fa vedere a ogni morte di papa. Così lei può starsene lì tranquilla, vestirsi come le pare, andare a scuola quando le gira, pettinarsi con le sue trecce diritte, e avere per compagnia una scimmia detta signor Nilson, un cavallo e basta.

La Pippi vive in una grande casa tutta per lei e ogni tanto invita i due amici Tommi e Annica, un po' loffi, che vivono in una famiglia normale coi genitori.

Visto che parliamo di famiglie ora vi racconto con chi vivo io.

4

Descrizione di quelli con cui vivo io

Io vivo prima di tutto con Teresa che è mia madre, e ogni tanto capita anche che con me e Teresa ci viene a vivere Alfredo che è mio padre.

Ecco per cominciare la descrizione di Teresa. Teresa è una donna che di natura è arrabbiata col mondo e vorrebbe spaccare tutto. Ha un cespuglione di capelli neri molto spessi e anche arricciati che stanno dritti sulla testa molto ribelli al pettine e sembra che anche loro vogliono spaccare tutto. Anche gli occhi sono neri e hanno un aspetto minaccioso con cui lei può inviare malocchi a chi le sta sullo stomaco, maledizioni per chi le fa dei torti, più altre svariate occhiate cattive che ti fulminano se per esempio provi a trasgredire dei favori che ti ha chiesto. Di corpo Teresa è grande, con un prosperoso paio di tette che vengono avanti come una specie di minaccia e grandi mani che ti fanno impressione.

Vista tutta insieme Teresa è una femmina che per la strada è molto ammirata dai maschi, i quali le rivolgono anche parole e fischiate di commento, anche perché lei poi è una che ama vestirsi moderna e così sempre si abbiglia con minigonne mozzafiato e camicette scollate provocanti, con tacchi alti e vari chili di trucco dipinto su faccia, bocca e occhi.

Ha anche un'altra passione che sono le collane, gli anelli e i braccialetti, e se li mette tutti uno sopra all'altro; così che quando è pronta per uscire sembra una di quelle madonne piene di tesori che ci sono nelle chiese. Solo che queste madonne hanno i gioielli veri mentre quelli di Teresa sono tutti fasulli perché noi non abbiamo mai un soldo nemmeno a rivoltarci a testa in giù, come sempre spiega Teresa.

Per questo suo stile Teresa molte volte riceve critiche dalla gente, ma lei di fronte ai maligni ha sempre un atteggiamento da menefreghista il cui motto è: Meglio fare schiattare la gente d'invidia che di compassione.

E io sono d'accordo.

Una caratteristica che presenta poi mia madre sono i suoi sbalzi d'umore durante la giornata. Per dire: un giorno è lì tutta allegra che canta le sue canzoni preferite come quelle del suo cantante amatissimo con la faccetta da soldatino timido Gianni Morandi, oppure quelle del supermolleggiato Adriano Celentano, dato che a lei piace da matti sia la canzone Azzurro il pomeriggio è troppo azzurro e lungo, sia anche Con ventiquattromila baci. E così eccola lì che canta e ci dà dentro e si guarda nello specchio per farsi la riga nera sugli occhi, e poi si passa lo smalto rosso sulle unghie delle mani e dei piedi anche pettinandosi i capelli con la lacca. Certe volte quando ha questo buonumore prova anche a cucinare ma qui lei è sempre stata negata bisogna ammetterlo.

Altre volte scatta il cambio d'umore che vi dicevo e eccola che si annuvola e va a chiudersi in camera sua anche tirando giù grandi madonne e bestemmie svariate soprattutto nel caso che ha litigato con Alfredo.

In questo caso la cosa che mi dice è: Tu ora togliti di mezzo che non è giornata.

A proposito di Alfredo adesso vi descrivo anche lui. Alfredo è un tipo tutto magro e nervoso con una faccia da schiaffi che ricorda l'attore francese Belmondò, e le cose che gli piacciono sono: prima di tutto bere e fumare, poi andare a ballare e giocare, sia al biliardo che al poker. Anche a lui piace un mondo sentire i dischi, ma solo esclusivamente quelli del cantante Fred Buscaglione che è anche il suo modello di vita perché è uno che vuole vivere come un milord correndo con le macchine potenti, andando a spasso con le donne sfrontate, attaccando lite con tutti, spendere e spandere e via.

La cosa che invece a Alfredo proprio gli ripugna di fare è andare a lavorare.

Bisogna sapere che quando Alfredo negli anni precedenti corteggia Teresa col progetto di sposarla lei subito rifiuta dicendo: Tu sei uno sfaticato numero uno e questo lo sanno tutti. Piuttosto che mettermi con uno come te mi sparo.

Ma Alfredo è uno insistente con la testa dura e non molla finché Teresa non cede. Poi Teresa cede ma gli dice: E come campiamo con te che sei uno sfaticato di prima classe?

Alfredo dice: Tere' tu con me non ti devi preoccupare mai! Tu con me stai in una botte di ferro!

Teresa ribatte: E che ci mangiamo, la botte?

Alfredo propone: Mi ha detto mio fratello che al nord c'è tanto lavoro per tutti, che i soldi te li tirano dietro, tu non hai idea di quanta ricchezza ci abbiamo a due passi da casa!

Teresa dice: Mia cugina Carolina mi ha detto che una volta lei c'è stata al nord, stava a Brescia, e là tu puoi pure girare nuda per strada, puoi morire schiattato che non ti vede nessuno. Io al nord non ci vengo neanche morta.

Alfredo con la sua faccia da schiaffi canta: Teresa...

non scherzare col fucile... Poi dice: Tere' mi piace pure il tuo nome, è un nome degno del grande Buscaglione.

E così eccoli sposati in partenza per il nord. Alfredo rispetta le sue promesse e infatti si trova subito un lavoro. Anzi se ne trova due o tre, perché succede che appena ne ha trovato uno viene immediatamente licenziato, dato che mai lui si presenta una volta puntuale. Tante volte anzi non si presenta proprio, inventando scuse di gravi malattie e terribili disgrazie che gli capitano, ma mai nessuno gli crede.

Quando io nasco siamo in una casa che ha la caratteristica di essere umidissima e molto fredda tutto l'anno, per questo Teresa quando deve entrare nel letto per dormire dice sempre: Sembra che dentro le lenzuola ci ha pisciato qualcuno.

Quando capita che Alfredo fa una vincita a poker torna a casa all'alba e porta soldi, bottiglie di spumante e baci perugina. Teresa diventa allegra e dice: Domani mi vado a comprare un vestito nuovo, eh? E anche un paio di orecchini, mh? E poi andiamo a vedere un film zozzo, magari L'ultimo tango a Parigi!

Io chiedo: Anch'io posso comprarmi un vestito nuovo?

E Teresa risponde: Dipende.

Ci vengo al cinema? Insisto.

Alfredo dice: Poi vediamo. E cambia discorso dicendo: Ormai non abbiamo più problemi! Possiamo fare quello che ci pare e piace, come i veri signori.

E così la nostra vita va avanti bella spensierata per un po'. Finché non finiscono i soldi. Alfredo riprova a giocare ma la fortuna non gira più dalla sua parte e allora addio.

Teresa comincia a fare i suoi insulti dicendo a Alfredo: Tu e lo stramaledetto viziaccio del gioco! Tu stramaledetto sfaticato! Ma ora basta: Non faccio più la serva a nessuno, io. Io me ne vado.

Allora prendiamo, facciamo le valigie e partiamo. Prima di uscire di casa Teresa dice ancora ad Alfredo: Tu non sei buono né come uomo né come padre né come marito.

E così ci dirigiamo alla stazione dove ci aspetta il treno diretto verso sud, dove abitano i genitori di Teresa e vi parlerò anche di loro.

5.

Quali sono le vere passioni dei nonni Filomena e Leonardo

Nonno Leonardo ha le orecchie più lunghe che ho mai visto in vita mia. Passa tutta la giornata fumando di nascosto certi sigarini scuri e puzzolenti e sempre afferma: Quello iettatore del dottore venti anni fa mi dice: Leona'! Accenditi un'altra sigaretta e sei un uomo morto. Tiè! fa nonno Leonardo con un gesto di spregio. Alla faccia di tutti i mediconi professoroni dei miei coglioni.

Leonardo ha avuto questo, che è stato colpito da una paralisi alle gambe e perciò se ne sta tutto il giorno seduto sulla sua sedia oltre che fumando sigarini di nascosto anche leggendo senza farsi accorgere i giornali sporchi con fotografie che raffigurano donne con culi, tette e tope di fuori.

Fra questi giornali sporchi ce n'è uno che predilige ed è la rivista Cronaca Vera che secondo lui è la migliore per il fatto che non contiene solamente delle foto sporche ma riporta anche un sacco di fatti interessanti che si seguono con passione. Dice Leonardo: Qua ci sta la realtà dei fatti. Mica quelle palle che inventano i professoroni.

Queste storie Leonardo ogni tanto ne sceglie qualcuna e me la legge. Sono tutte storie piccanti che hanno per tema le corna, la gelosia, l'amore, gli omicidi. Ci sono storie che mi esaltano, come quella della suora di Bergamo che viene violentata da un ladro nel convento e dopo scappano insieme e si vogliono pure sposare, oppure quella della giovane prostituta di Bari che a undici anni fa un figlio con l'amante della madre e quando la madre scopre il maneggio uccide entrambi, o la storia dell'impiegato comunale che ha una doppia vita e di notte si traveste da donna e va con i maschi e qualcuno scopre tutto e lo ricatta ma lui si uccide.

Se per caso mentre leggiamo le storie di Cronaca Vera arriva nonna Filomena, Leonardo chiude il giornale di colpo e apre Famiglia Cristiana. Filomena dà un'occhiata di traverso e dice: Stai sempre con quelle porcherie?! Devi corrompere pure quest'anima innocente?!

Leonardo non risponde perché questa è la sua tecnica per liberarsi dalle accuse di Filomena. Quando Filomena esce dalla camera di Leonardo lui le dice dietro: Vecchia strega. Strega bigotta.

Nonno Leonardo ha una cosa che ama ripetere con tutti che è questa: che anche se ha settant'anni e è mezzo paralizzato lui è sempre un uomo, nel senso che sempre l'uccello gli tira, solo che non gli tira più con sua moglie per il semplice fatto che lei è una bigotta che passa tutto il suo tempo alla chiesa di don Luigino.

Dice nonno: Se ci avessi per le mani una bella zoccoletta giovane ve lo farei vedere io.

Che nonna Filomena va sempre in chiesa questa è la pura verità, e tutte le persone spettegolano dicendo che lei ci va troppo in questa chiesa di don Luigino, e che lui anche se è un prete è un uomo. E un uomo è un uomo. E anzi a causa di don Luigino io una volta ho sentito una chiacchiera di zia Fortunata che accusava Teresa di essere addirittura la figlia segreta del prete. Perché già allora quando Teresa era appena nata Filomena aveva questa smania di andare in chiesa da don Luigino, che allora era un preticello giovane giovane e si sa cosa è capace di fare un uomo giovane nel pieno delle forze col sangue che gli va in ebollizione. Questa è la chiacchiera di zia Fortunata e così io la riporto. Perché c'è anche il problema dice lei che già allora quando Teresa doveva nascere nonno Leonardo andava a dire a tutti nel suo stile spensierato che con la moglie l'uccello non gli tira, ma se ci avesse per le mani una bella zoccoletta eccetera.

Così quando Teresa nasce tutti dicono: Questa è la figlia del prete.

Filomena invece va a trovare tutti casa per casa e dice unendo le mani al cielo: Questa è una grazia ricevuta da sant'Antonio abate! Sia benedetto!

6.

Alfredo alla fine torna sempre

Dopo un po' di tempo che ci siamo installate da questi nonni succede sempre che riceviamo la visita di Alfredo in persona. Lui torna che è su di giri, ha portato pure un mazzo di fiori, una bottiglia di spumante, sfogliatelle e babà.

Entra in casa e nessuno che gli parla tranne Leonardo perché lui ha sempre sostenuto che se Alfredo non ha voglia di lavorare lui lo capisce benissimo e sta dalla sua parte. Dice: Alfre' le femmine parlano parlano perché non hanno niente da fare. Mica capiscono cosa passa per la testa di un uomo. Lavorare è un fatto contro natura, ricordatelo.

Alfredo allora stappa lo spumante e dice: Brindiamo! Oggi è festa grande! Papà è ritornato!

Nessuno però risponde al suo brindisi e lui brinda da solo e poi annuncia: Sono venuto a riprendermi la mia famiglia.

Teresa girandogli le spalle dice con calma: Piuttosto che tornare con te mi butto giù dalla finestra.

Alfredo cambia tono e passa alle maniere forti minacciando: Io faccio saltare per aria la casa! Io spacco tutto.

A questo punto però interviene Filomena che afferma: Provaci, ma prima io ti pianto un coltello in gola.

Alfredo allora ci ripensa, si riprende sfogliatelle e babà e esce.

Io chiedo a Teresa: E se non torna più?

Teresa tira giù un paio di madonne e poi sbuffa contro di me e dice: Torna, torna, figurati se quello non torna. Magari!

E infatti si dimostra che Teresa aveva proprio ragione in quanto ecco qui il padre Alfredo che dopo un po' risuona alla porta e annuncia: Io come uomo mi faccio schifo.

Filomena dice: Questa è la sacrosanta verità.

Alfredo si avvicina a Teresa e dice: Tere' torna con me! Non mi lasciare Tere', voi siete la gioia della mia vita. Io sono un disgraziato ma tu non mi lasciare Tere'.

Teresa però non cambia idea e dice: No con te non ci torno. Tu non alzerai mai un dito in vita tua. Tu non puoi darci un avvenire a me e a questa disgraziata.

Chi è la disgraziata? Chiedo io.

Tu sei la creatura disgraziata, dice mia madre.

Povera disgraziata innocente, aggiunge mia nonna.

Alfredo comincia a tirarsi delle sberle da solo anche battendo ogni tanto la testa contro il muro. Poi dice: Te lo giuro, mi trovo un lavoro.

Teresa canta: Parole parole parole, con riferimento alla celebre canzone di Mina.

Quando è che comincerai a comportarti da uomo? Chiede Filomena.

Appena torniamo a casa, dice sorridendo con la sua faccia da schiaffi Alfredo.

Teresa dice: Io al nord non ci vengo più. Oltretutto ci fa sempre freddo, e le persone pensano solo a accumulare soldi. Quella che abita sopra di noi dà del lei alla suocera e la chiama signora. Vacci tu io non ci torno.

Alfredo dice ancora: Cambierà tutto, te lo giuro sull'anima benedetta di mammà.

Filomena interviene dicendo: Il lupo perde il pelo ma non il vizio.

Alfredo dice: Mammà, voi fatevi i cazzi vostri.

Non insultare mammà, dice Teresa.

Delinquente scostumato, dice Filomena.

Ora basta brindiamo, è tornato il figliol prodigo! Dice Leonardo anche se non c'entra niente.

Però alla fine brindiamo davvero e le offese sono perdonate e Alfredo con le lacrime agli occhi bacia e abbraccia tutti, Teresa, me, e anche Filomena e Leonardo ora chiamandoli così: Papà! Mammà!

Anche noi siamo commossi e Teresa dice: Ecco che mi sono fatta fregare di nuovo.

E il giorno dopo ripartiamo per il nord.

7

Presentazione della scuola e di tutte
le sue ingiustizie

Adesso che siamo tornati nella nostra casa piena di umidità al nord mi aspetta una cosa terribile: che devo incominciare la scuola.

Il primo giorno nella nuova scuola conosco la mia maestra che porta gli occhiali molto spessi e scuri e ha il naso lungo che le ricade in bocca e non ride mai. La prima cosa che dice è: Tutti in piedi. Seconda cosa: Ora diciamo le preghiere. Terza cosa: Ora seduti. Dice: Adesso facciamo l'appello e man mano che vi chiamo voi vi alzate in piedi e dite il mestiere che fa vostro padre e da quale regione italiana provenite.

Poi passa fra i banchi col registro in mano e tutti si alzano e subito rispondono i mestieri dei padri e la regione. La Claretta Paglia però si mette a piangere e la maestra la manda in castigo dietro la lavagna. Poi c'è il mio compagno del banco di dietro Aldo Crocco che diventa rosso in faccia e dice: Mio padre fa il disuccupato.

La maestra stringe le labbra e dice: Vorresti dire lo sfaticato.

Aldo Crocco ribadisce: No no, il disuccupato.

La maestra stringe sempre di più le sue labbra e dice: Non si risponde alla maestra. E lo manda in castigo anche lui, però con la faccia contro la cartina geografica per non farlo parlare con la Claretta Paglia.

Quando chiama la Raffaella Rapetti e lei dice: Mio papà fa l'ingegnere edile e ci ha molti uomini sotto ai suoi comandi e siamo di origine genovese ma la mamma è piemontese, io vedo la maestra che per la prima volta fa un sorriso e le dice: Tu cara spostati al primo banco.

Quando l'appello è finito la maestra batte le mani sulla cattedra e dice: Bene. Adesso tutti quelli che indico dovranno mettersi da una parte.

Così succede che ci ritroviamo io, Aldo Crocco e Daniela Pertusi in un angolo in fondo alla classe.

Io mi domando perché succede questo e subito la maestra come se avesse intercettato il mio pensiero da vera maestra spiega: Vedete bambini quei vostri tre compagni nell'angolo in fondo? Essi provengono dalla Sicilia, Campania e Calabria. E indica sulla cartina geografica le regioni. E aggiunge: Essi sono dunque meridionali.

Nel nostro angolo di meridionali io faccio amicizia subito con la Daniela Pertusi che è appunto l'amica Dani che vi ho già presentato, e poi faccio anche amicizia con la Gabri che non è del gruppo dei meridionali però è del gruppo dei settentrionali poveri perché suo padre faceva il ponteggiatore poi è caduto da un ponteggio e si è ferito alla testa tanto da diventare un po' tocco e non trovare più lavoro.

La Dani oltre che meridionale è anche la più asina della classe, la Gabri invece è molto intelligente ed è la quarta della classe. Io sono così così ma molto più vicina agli asini che ai bravi secchioni senz'altro.

La Dani passa tutte le mattine a chiacchierare e a fare le imitazioni dei compagni che ci sono antipatici e della maestra e io mi diverto moltissimo. La maestra grida e si sgola sempre contro noi due e certe volte è come se le scoppia la faccia per come diventa rossa e dice: Io con voi non so più come combattere. E a volte confessa anche: Mi manderete al manicomio. Oppure: Mi manderete al cimitero.

Il bello della Dani è che sa un sacco di parolacce e mentre la maestra grida lei sta zitta poi appena quella si gira dice: Hai finito di scassarmi le palle brutta troia vacca di merda.

Il secondo più asino è Aldo Crocco e anche contro di lui la maestra fa molte sgridate chiamandolo però con diversi insulti molto più violenti che con la Dani, perché lui oltre che disturbare spesso fa anche un'altra cosa: che tira delle scorregge rumorosissime puzzolentissime che non stanno né in cielo né in terra.

Altra cosa che la maestra fa sempre con noi meridionali è che ci riempie i nostri diari di note. Scrive per esempio che dobbiamo imparare l'educazione, oppure che non dobbiamo disturbare ma imparare a essere civili, o che dobbiamo portarci le merendine Ferrero nelle buste come fanno i compagni diligenti e non i panini con la frittata che ungono e puzzano la classe.

A me mi scrive per esempio che devo lavarmi bene e a voce mi dice che sembro una zingara. Certe volte invece mi dice che sembro una marocchina. La Dani invece dato che è rossiccia non può dirle che sembra una zingara marocchina, allora le dice: A te ti hanno raccolto nella spazzatura.

Un giorno che si accorge che la settentrionale Gabri ci sta amica fa gesti di grande nervoso con vari tic di smuovere le spalle e anche il collo di colpo, poi la guarda male e dice: Ricordati! Chi va con lo zoppo impara a zoppicare.

E infatti succede che la Gabri dalla posizione di quarta della classe ora va sempre più male e in pratica le mancano più due posizioni per scivolare negli asini. Ma la maestra dice: Prima che succeda l'irreparabile io mando a chiamare tua madre così ti aggiusta lei.

Così ecco che un giorno arriva la madre della Gabri nella nostra classe e la maestra le fa un discorso davanti a tutti dicendo che lei non ha peli sulla lingua, e che da quando la figlia frequenta i marocchini non ci siamo, non ci siamo per niente, una vera sciagura, chissà di questo passo dove si va a finire.

Dice ancora: Io glielo dico per il suo bene sa perché so che voi altri non avete i mezzi e allora se continua così è inutile farla continuare a studiare. Meglio farle il libretto di lavoro.

La madre della Gabri guarda la Gabri nel suo banco e di colpo si mette a piangere. La ricca Raffaella Rapetti invece si gira dalla sua posizione del primo banco e sorride. La Dani dice allora: Bastarda troia figlia di puttana che cazzo ci hai da ridere che la madre della Gabri piange. La Rapetti dice alzando la mano: Signora maestra la Pertusi mi ha insultata le dia una nota e la metta in castigo. La maestra dice: Poi con te Pertusi facciamo i conti dopo.

La madre della Gabri soffiandosi il naso si riprende e dice: Mi dica lei signora maestra che cosa devo fare con questa disgraziata, gli devo spezzare la schiena?

a maestra dice: Non dica queste cose che a scuola non si insegna mica la violenza. Però... per esempio potrebbe cominciare mettendola in castigo a pane e acqua per un mese, oppure la chiude in cantina al buio. Ecco, per cominciare può fare così.

Io faccio tutt'e due le cose, la chiudo in cantina e la tengo a pane e acqua, dice la madre della Gabri ora molto rilassata che ha trovato l'idea. Poi si avvicina al banco e tira la Gabri per i capelli dicendo: Poi a casa ti faccio vedere io. Non avevi mai niente da fare per compito, eh! E qui senza avere neanche la pazienza di aspettare il ritorno a casa comincia a menarla da matti e anche dicendo frasi come per esempio: Come ti ho messo al mondo così ti ci tolgo.

La maestra sembra piuttosto soddisfatta e quando la Gabri ha già preso svariate sberlone e calci in culo interviene dicendo: Ora si calmi che i bambini bisogna saperli prendere con la dolcezza. Poi si gira verso il nostro angolo di meridionali e con sguardo affilato molto cattivo aggiunge: Ma solo quando se lo meritano.

La madre della Gabri ribadisce: Io quando avevo la sua età ci pensavano le suore a farmi passare i grilli per la testa, certe volte mi facevano stare un pomeriggio intero inginocchiata sui maccheroni crudi. Così mi passavano tutti i grilli!

Noi vediamo la Gabri allontanarsi tirata via dalla madre e salutiamo con le mani e la maestra ci prende il diario e ci scrive due note perché disturbiamo. Noi però ce ne freghiamo delle note perché sappiamo imitare la firma dei genitori benissimo e poi anche perché noi ora siamo molto preoccupate per le grandi punizioni che riceverà la nostra amica Gabri. Così ci mettiamo a discutere per escogitare dei piani per liberarla.

Fatto sta che i nostri piani non ci servono più perché a un certo punto nella famiglia della Gabri scoppia una merda.

8

La madre della Gabri un giorno
scappa di casa

Prima di dire che cosa è successo devo fare il racconto esteso della Gabri e della nostra amicizia. La Gabri il pomeriggio sta nella trattoria dove la madre serve ai tavoli e lo zio cucina. Quando torniamo a casa da scuola noi mangiamo e, dato che non abbiamo tempo da perdere in cose inutili, subito ci vediamo per appostarci sul muretto davanti alla trattoria. Così appostate aspettiamo le tre, l'ora dell'arrivo di Adriano detto il Pupo, il ragazzo della Vale, sorella della Gabri.

Il Pupo è uno dei ragazzi più belli del mondo. È così alto che deve sempre abbassare la testa quando passa da una porta, ha una testata di capelloni lunghi riccioloni nerissimi che la Michi dice sono un po' da terrone ma uno così bello secondo me può fare quello che vuole.

Mio padre quando incontra il Pupo gli dice sempre: Te li tagli o no quei capelli da ricchione! Ma il Pupo se ne frega delle chiacchiere della gente e sfreccia via sulla sua moto Honda.

Al Pupo gli piace vestirsi come un divo del cinema, con giacche di cuoio o di camoscio piene di frange, pantaloni bianchi strettissimi con la vita alta e in fondo larghi scampanati a zampa di elefante e per finire stivaletti a punta rosso fuoco con tacchi e speroni, che porta sempre, estate e inverno.

La sua occupazione preferita consiste nel passare intere giornate a smaneggiare e lucidare la sua moto Honda. Quando ha finito di lucidare carica su la sua ragazza e insieme partono per andare a imboscarsi da qualche parte.

Nella trattoria della Gabri ci vanno a mangiare molti camionisti perché dicono che lo zio cucina bene, e poi anche perché la madre della Gabri è una tipetta allegra e spontanea che somiglia tale e quale alla Brunetta dei Ricchi e Poveri, solo con un po' più di ciccia addosso, e ha sempre la battuta pronta quando si tratta di rispondere alle frasi provocanti dei camionisti che mangiano bevono e se la spassano.

Una bella mattina succede che la madre della Gabri non si trova più. Cerca di qua cerca di là qualcuno dice che forse si è annegata nel fiume, qualcun altro a dire che è stata rapita e tutti gli rispondono se è scemo finché è proprio la Gabri che trova un biglietto in cucina che dice: Non mi cercate più perché intanto non mi ritrovate, io son scapata via di casa per seguire quello che dise la mia testa e il mio cuore però non vi dismentigate che sono sempre la mamma che vi vole tanto bene ma non ze la fazevo miga più a fare i soterfugi e a inventarvi delle balle. Tanti basi a tuti e anche al papà.

Allora noi abbiamo dei dubbi che non capiamo bene quello che è successo e decidiamo di consultare la Bruna che lei sa sempre tutto. La Bruna legge e poi commenta: Mi-inchiiiaaaa!!!

Noi chiediamo cosa intende con la sua esclamazione e lei spiega: A' Gabri, tua madre ha tegato.

Cosa? dice la Gabri.

È smammata, è andata a spassarsela in giro per il mondo con qualcuno. Secondo me con uno di quei camionisti che vengono a mangiare alla trattoria, chiarisce la Bruna.

Allora anche io e la Gabri commentiamo: Mi-in-chiiiaaaaa!!!!

Dopo succede che sempre per tutto il tempo le persone fanno i commenti sulla fuga della madre della Gabri. Per esempio ci sono certe madri che dicono: Ah beata lei che anch'io me ne scapperei subito, basta che trovo qualcuno che mi prende. Qualche altra madre dice: Io per me me ne scapperei senza lasciare nemmeno un biglietto. La madre della Dani detta Peperina invece ha questa idea: Io no, dice, io non ci avrei il cuore di lasciare i miei figli per un uomo, e poi puoi sempre farti degli amanti e tenerti i tuoi figli, tuo marito e tutto quanto che alla fine sembri pure una donna onesta.

La madre della Michi aggiunge: Perché, forse che tutte le signorone per bene, quelle zoccolone di alto bordo non fanno così, che se la spassano a destra e a sinistra e poi tornano a casa come se niente fosse belle allegre e di buon umore?

Proprio così, più zoccola sei più ci hai tutte le fortune, aggiunge mia madre Teresa.

Fra di noi bambini invece diciamo: Chissà che effetto fa se la madre scappa via di casa e non la vedi più?

La Bruna dice: Una rottura di coglioni in meno.

La Dani dice: No per me no, io ci voglio troppo bene alla mia di madre, e le scappa da piangere.

Intanto nella famiglia della Gabri succede questo, che il padre oltre che un po' tocco ora è anche sempre molto immalinconito e non parla più. Lo zio è preoccupato e tutti dicono che non è più buono a cucinare un piatto come si deve e così a mangiare da lui non ci va più nessuno perché dicono: Il dolore sì, va bene, però io lavoro e voglio mangiare come si deve e saziarmi. La sorella della Gabri invece sembra felice come una pasqua e continua a truccarsi la faccia e a vestirsi con le minigonne di quelle che si vedono perfino le mutande e parte a imboscarsi nelle campagne con la motocicletta insieme al suo ragazzo il Pupo.

Alla Gabri invece le succede che non ha mai voglia di mangiare perché dice che si sente lo stomaco come chiuso e così diventa molto magra proprio una stecca e tutti le ripetono sempre: Mangia qualcosa Gabri. Su dài Gabri mangia un po'. Un po' devi mangiare Gabri. Ma la Gabri niente.

Allora un giorno la nonna le fa la minaccia di portarla all'ospedale dove la faranno mangiare attraverso delle punture fortissime terribili e così si vede che funziona questo trucco, perché alla Gabri le viene paura e comincia a mangiare.

Tutti sono felici e tirano un sospiro di sollievo.

Però ora la Gabri ci ha preso troppo gusto a mangiare si vede e mangia e mangia che non c'è un secondo della giornata che non la vediamo che sta masticando qualcosa e anche con le mani occupate che tengono o un sacchetto di patatine o un panino o un gelato o tutte e tre le cose insieme.

Insomma dopo un po' di tempo la Gabri non si riconosce più per come è diventata grassa e i maschi le danno il soprannome di Cicciabomba, e io e la Dani facciamo a botte per difenderla e certe volte vinciamo battendoli con calci forti e sputi, ma solo i maschi più deboli però.

La maestra non tratta più male la Gabri, soltanto quando vede che parla con noi marocchini la chiama: Palla di lardo.

E allora la Dani fa i suoi insulti in difesa della nostra amica che sono: Bastarda troia figlia di puttana vacca di merda.

9.

Il padre della Dani invece finisce al manicomio

Intanto a scuola io e la Dani dalla nostra postazione dell'ultimo banco dell'angolo dei meridionali continuiamo a farci i fatti nostri conversando tutta la mattina con le confidenze femminili più svariate.

La Dani la cosa che di lei mi piace da matti è che mi ricorda il mio idolo Pippi Calzelunghe. Infatti anche lei è magra come uno stecco e ha i capelli rossicci e tutta la faccia piena di lentiggini. La maestra non la vede mai perché è troppo piccola e così quando non passa il tempo a parlare con me lei si esibisce nella sua specialità che sono le imitazioni. È capace di imitare diversi personaggi contemporaneamente e di farli parlare fra di loro. Ma il personaggio che le riesce meglio è Mike Bongiorno a cui fa dire le cose più sceme. Però su questo punto il compagno del nostro reparto di meridionali Aldo Crocco ha da ridire perché sostiene: primo che Mike non è scemo anzi è uno molto intelligente che sa tutte le domande e le risposte del mondo, secondo che Mike lo sanno imitare tutti.

Questa mia amica Dani abita con i suoi genitori e suo fratello Tore nel palazzo di fronte al mio. Il padre è un siciliano con lo stomaco gonfio e con l'espressione sempre seria che Teresa ha soprannominato Muso Appeso. E questa è la verità perché mai nessuno l'ha visto ridere una volta.

La Dani mi ha confidato che suo padre è sempre di cattivo umore perché ha il problema della stitichezza, e che quando entra in casa loro tre non devono neanche fiatare perché sennò lui subito si incazza e spacca qualcosa che si trova sotto mano.

La madre della Dani è una tappetta peperina sempre tutta scattante e di buon umore che se ne frega del marito e della sua stitichezza. Si capisce al volo che lei è una che la vita se la vuole godere, altro che il marito col muso che non riesce a cacare, e infatti ha come amante un bigliettaio dell'autobus che fa capolinea sotto casa nostra detto il Ricciolino.

La tresca col Ricciolino l'ha scoperta la Dani e molte volte mi invita a casa sua per spiare le mosse degli amanti diabolici.

Quando l'autobus fa la sua sosta il Ricciolino scende e immediatamente guarda su in direzione della finestra della cucina dove è appostata la Peperina e ecco che comincia a mandarle mille baci con la bocca e anche tira fuori la lingua muovendola in velocità, poi ogni tanto si guarda in giro per essere sicuro di non essere visto e si passa la mano sulla patta dei calzoni e si morsica le labbra guardando fisso in direzione della Peperina, proprio un bel maiale.

Quando l'autobus riparte la Dani si mette a fare tutta l'imitazione del Ricciolino che si tocca la patta e questo è divertente.

Le loro maialate comunque il Ricciolino e la Peperina le possono fare solo perché il padre della Dani è sempre in giro dato che fa il rappresentante di rubinetti. Fatto sta che un pomeriggio che non doveva esserci il padre arriva all'improvviso forse perché sta male dato che sono dieci giorni che non va di corpo mi ha spiegato la Dani. Arriva e sorprende la moglie Peperina affacciata alla finestra che sghignazza felice e il Ricciolino sotto che fa le sue scenette di lingue e strofinamenti.

Io e la Dani seguiamo la scena dalla finestra della sua camera e vediamo il padre che rimane immobile bloccato in mezzo alla piazza con gli occhi spalancati e la testa che si sposta ora verso la moglie ora verso l'amante della moglie.

Poi incomincia a togliersi la giacca, la camicia e la cravatta, dopo un po' anche i pantaloni, e strappa via tutto con molta forza ridendo e piangendo. Alla fine si toglie anche le mutande e fa tutto a brandelli.

Intanto sta arrivando un sacco di gente, molti sono sbalorditi, a qualcuno scappa da ridere. Si comincia a dire: Chiamate i pompieri! Chiamate i vigili! Qualcun altro sostenendo: Altro che vigili, qui ci vuole la camicia di forza. Ci vuole la neuro.

La neuro essendo molto celebre nel circondario, in quanto capita ogni tanto una madre che dà di matto, o anche un vecchietto che si vuole buttare giù dalla finestra, o un padre che dà i numeri come nel caso del padre della Dani appunto. In questo caso si dice sempre che gli è venuto l'ESAURIMENTO NERVOSO, e via che per un po' di tempo non lo vediamo più in giro perché lo hanno rinchiuso alla neuro.

Il padre della Dani viene portato prima alla neuro e poi in una clinica chiamata clinica Salus e ogni tanto quando capita la Dani, la Peperina e il fratello Tore lo vanno a trovare.

La Peperina che è in confidenza con Teresa certe volte viene da noi e racconta che suo marito sta benissimo lì nella sua clinica, è bello calmo e disteso e ora riesce perfino a andare di corpo. Dice anzi che non è mai stato così bene in vita sua e che secondo lei dovrebbe fare le pratiche per avere la pensione da matto e non muoversi più da lì, dove fa una vita da pascià, in pieno relax.

La Dani mi fa l'imitazione di suo padre che sta seduto con lo sguardo fisso da matto e non riconosce nessuno e ripete sempre: Devo farcela. Devo farcela. Un po' di sforzo e ce l'ho fatta. Oggi l'hai fatta? No. E ieri? Nemmeno! E oggi? Oggi l'hai fatta? E così via.

Nel frattempo il bigliettaio Ricciolino ha via libera e comincia a frequentare tranquillamente la casa della Peperina. Certe volte fermandosi per uno spuntino e un bicchiere a volte invece chiudendosi in camera da letto per fare il pieno di super alla sua innamorata Peperina. In questo caso io e la Dani appoggiamo l'orecchio alla porta per sentire i rumori che sono: risatine da sole o risatine unite con sospiri così: Ah! Ah! Ah ah ah.

10

Tore e Lupo sono due maschi che si vantano troppo

Il fratello della Dani, Tore, è tale e quale a lei, rossiccio, magro e con le lentiggini. Certe volte quando io e la Dani siamo in camera Tore entra e dice: Ora smammare che qui ci voglio stare io. Altre volte entra anche con l'amico Lupo e se non ci fanno smammare vogliono restare con noi a raccontarci delle cose per farci impressionare.

Tore ci dice: Lo sapete voi che quando diventate grandi troverete chi ve lo infila e vi fa gridare come bestie sgozzate?

E Lupo aggiunge: E quando qualcuno ve lo infila non lo potete più fermare, vi farà piangere e vi farà sanguinare come delle bestie.

La Dani dice: Che schifo.

Io chiedo: Per davvero che si grida come delle bestie?

Lupo fa un sorriso e dice: Si grida sì ma poi ci provi gusto.

Io non ci credo, dice la Dani impaurita.

Garantito, fa Lupo fumando il filtro della sua malboro.

Quando incomincerete a farlo non vorrete più smettere, non riuscirete a stare nemmeno un giorno senza prenderne, fa Tore.

Di' pure un minuto, Tore, fa Lupo.

Questo amico Lupo è un maschio che ha diverse femmine che gli vanno dietro, perché ha l'aria di uno che sa il fatto suo e che è meglio non rompergli le palle per non avere noie. Ha un paio di sopracciglioni che formano quasi una riga diritta sulla fronte e gli danno uno sguardo che mette paura. Se ne va in giro sul suo motorino con la marmitta truccata e quando passa lui tutti si girano e gli mandano maledizioni. Tutti sanno che i motorini lui li gratta e che è anche uno specialista del furto delle autoradio, della benzina nelle macchine e dei copertoni delle biciclette.

Altra sua specialità è che esce con delle donne di tutte le età, e perfino con delle vecchie che poi gli fanno i regali e impazziscono per lui. Per questo lui può permettersi di andare in giro sempre vestito all'ultima moda, ben pettinato fresco di barbiere, e anche di fumare le malboro che quasi nessuno di quelli che conosciamo noi fuma.

Un giorno che vengono di nuovo a romperci le scatole Tore dice rivolto a Lupo: Hai visto queste babanette che stanno crescendo? Vuoi vedere che fra un po' gli spuntano pure le zinne?

Lupo alza le spalle come per dire che a lui non gliene frega.

Tore però insiste e dice: Eh? Cosa ne pensi Lu'?

Lupo allora sbuffa e fa: Ao', Tore, e chi se ne frega di lumarsi delle piccoline? Tore, impara anche tu a lumarti delle belle fiche vecchie. Belle cavallone che non fanno delle storie e ti fanno pure dei regali.

Tore dice: Hai ragione Lupo, con le piccole non c'è sugo.

Lupo aggiunge: È uno spreco di tempo, magari devi portarle anche al cinema.

E magari vogliono pure il gelato, aggiunge Tore.

Invece, le fiche vecchie non fanno storie, te la mettono sul vassoio, continua Lupo.

Proprio così, sul vassoio, dice Tore.

Ma a te chi vuoi che ti viene dietro, dice la Dani al
fratello.

Tore diventa rosso nelle orecchie e dice: Ma che ne
capisci tu scema.

Scemo sarai tu, dice la Dani.

Lupo continua: Per esempio, ne vuoi sapere una?

Dài, fa Tore.

L'altro giorno sono andato a casa di Rino, lui non
c'era, però c'era la moglie. Mizzica! Ci aveva una sottana
nera, trasparente!

Mi-inchiiiaaaa... quella è una bella fica, me la farei subito! fa Tore.

E che avete fatto? Avete fatto il pieno di super? chiede la Dani.

Abbiamo fatto un sessantanove e una pecorina, spiega
Lupo.

Mi-iiinchiiaaaaaaa... commenta Tore con le orecchie
viola.

Cos'è un settantanove? chiede la Dani.

Cos'è il pecorino? chiedo io.

Ma Lupo non ci risponde, si accende una malboro e
guarda lontano, dice solo: L'ho fatta godere come una bestia.

Quante volte è venuta lei? chiede Tore.

Venti, o ventuno, dice Lupo, ho perso il conto.

E tu?

Diciotto, fa Lupo, sai com'è per le femmine è più facile, non devono fare niente.

11.

Parlerò adesso di suor Primina e di suor Pescecane

Parlerò adesso dell'influsso negativo delle suore che dobbiamo subire sia per le lezioni di dottrina cattolica tutti i mercoledì pomeriggio sia per le lezioni di cucito e ricamo i sabati pomeriggio.

Quando i mercoledì pomeriggio la nostra classe percorre la salita che ci porta verso le lezioni di dottrina cattolica si possono sentire i nostri ululati di rabbia e le bestemmie tremende di protesta alzati all'indirizzo di suor Primina. Gridiamo tutti come una banda di barbari assetati di sangue, e solo la Rapetti cammina dieci passi davanti a noi facendo finta di non conoscerci.

Queste lezioni non ce le possiamo scampare, perché la suora è direttamente collegata con la maestra la quale viene sempre a sapere tutto ma dico tutto quello che combiniamo durante le lezioni. E chi ha saltato o ha fatto lo scemo il giorno dopo puntualmente si ritroverà interrogato alla cattedra, con domande difficilissime a cui è impossibile rispondere. E dopo la scena muta avrà il diario riempito di note terribili che gli procureranno il pestaggio da parte della madre o del padre o anche di tutt'e due insieme.

I racconti che ci tocca sentire durante quest'ora di

dottrina fanno veramente schifo, e trattano sempre di martiri e santi morti ammazzati, squartati, a cui cavano gli occhi o strappano le tette. Noi certe volte protestiamo o urliamo, qualcuno si alza in piedi sul banco gridando: A morte suor Primina! Oppure: Suor Primina ci fai angoscia. E Aldo Crocco ne approfitta per tirare anche qui le sue famose scorregge.

Suor Primina si dispera e dice: Animali, ci rivedremo il giorno che Dio separerà le pecore buone da quelle malvagie.

Poi dice: Tu tu e tu portatemi i vostri diari. Tu tu e tu siamo sempre noi tre io la Dani e Crocco.

Mentre scrive le note insiste: Perché tre mele marce messe vicine a quelle sane fanno marcire tutto.

L'altro incontro con lo spirito maligno delle suore è al sabato pomeriggio, ma qui mica si possono fare tanti casini, no, perché qui mica c'è una suorina debole come suor Primina che in fondo se la prende solo coi meridionali e neanche tanto, qui c'è un pezzacchione di donna soprannominato suor Pescecane che quando ti dà un pizzicotto sulla guancia ti ci lascia il segno per una settimana, e quando fa un sorriso ti mostra quei denti minacciosi che sono davvero tutti affilati e aguzzi come quelli della belva marina.

Quando arriviamo lì prima di tutto noi femmine dobbiamo fare i ricami mentre i maschi possono giocare a pallone, poi invece tutti insieme ci tocca fare l'ora di riflessione cristiana.

Io, la Dani e la Gabri non siamo assolutamente dotate per il ricamo. La Raffaella Rapetti esibisce i suoi difficili punto erba punto ombra punto a giorno, mentre i nostri ricami sono una specie di ammasso ingarbugliato che non si capisce mai cosa vogliono raffigurare.

La cosa che mi dice in genere suor Pescecane quando vede come cucio è: Invece che un ago in mano tu sembra che hai una zappa.

Quando la tortura del ricamo si vede è già durata abbastanza il Pescecane batte le mani e dice: Adesso bambine basta divertirsi facciamo un po' di riflessione cristiana insieme.

La riflessione consiste nel rinchiuderci tutti in uno stanzino che puzza di piedi e di minestrina, sederci in circolo con lei il Pescecane al centro che ci domina e ci squadra in silenzio prima fissandoci a lungo negli occhi poi invece tutti dalla testa ai piedi nel nostro insieme di corpo e anima.

Il fatto è che vuole vedere se durante la settimana noi abbiamo commesso o anche solo pensato atti impuri.

Del nostro gruppo di amiche ci siamo quasi tutte, tranne la Silvia Padella perché suo padre è un comunista sfegatato che se la vede passare vicino a una suora o a un prete dice che se la mangia. Anche con noi lui ripete sempre: Quando arriveremo noi comunisti i preti li sgozziamo tutti, le suore le arrostiamo e nelle chiese ci facciamo le sale da ballo.

Dunque noi amiche ci sediamo tutte vicine per darci coraggio dato che le perquisizioni della nostra anima ci fanno una strizza boia. La Dani trema di paura, si appende al mio braccio e mi dice: Porca merda! E se scopre che parliamo di sesso? E se viene a sapere che spiamo i grandi?

La Michi diventa rossissima e non fiata nemmeno più.

Alla Gabri invece viene fame e chiede: Posso mangiare il panino che mi sono portata?

Il Pescecane fa un sorrisino che mostra appena appena i suoi denti affilati e dice: Assolutamente.

La Gabri guarda verso di noi e dice: Cosa vuol dire?

Vuol dire che posso?

Pescecane allora grida: NO.

A me viene un giramento di pancia e chiedo se posso andare al gabinetto.

Il Pescecane mi guarda come chi sta perdendo la pazienza e non ne può più e dice: Non se ne parla nemmeno.

Io ribadisco: Mi scappa da matti.

Lei risponde: Te la tieni. Bisogna imparare a temprare il nostro spirito come il nostro corpo.

La riflessione comincia. Il Pescecane ci squadra ancora e chiede: Chi inizia per primo?

Tutti zitti, chi fissa intensamente la punta delle scarpe, chi l'angolo del soffitto, chi la propria mano.

Il Pescecane ci fa notare: Guardate che quando uno ha confessato i propri peccati poi sta molto meglio, si sente alleggerito.

È vero. È proprio così! Interviene la Rapetti.

La Michi la guarda, tira fuori la lingua e si tocca anche la topa in segno di disprezzo.

Su bambini, coraggio, chi vuol cominciare? Chi è il più coraggioso?

La Rapetti dice: Comincerò io suora, come sempre.

Il Pescecane dice: Bene! Prendete esempio dalla vostra compagna. Lei deve essere un modello per voi. Non come tante altre che anche se sono piccole hanno già scelto di allearsi col demonio, vero Michelina?

Verissimo, conferma la bastarda Rapetti Raffaella. E comincia la sua confessione: Allora... ieri a scuola mi hanno tirato addosso una sedia, è stato il compagno Aldo Crocco, quello della bassa Italia che ha il padre disoccupato, e io dentro di me non sono riuscita a perdonarlo subito, ma ho pensato: cattivo! L'ho perdonato solo dopo cinque minuti.

Cara Raffaella! Esclama il Pescecane.

La Dani dice: Perdonare una merda! Aldo ti ha tirato la sedia perché tu gli hai schiacciato la penna che gli era caduta vicino al tuo banco e gli hai detto: compratene una nuova, morto di fame.

Suora, la Pertusi è una gran bugiarda, ma io perdono anche lei, dice la Rapetti bastarda.

Pertusi tu hai l'anima già sporca come una vecchia peccatrice, fa il Pescecane.

Peccatrice una minchia, dice a bassa voce la Dani.

COSA HAI DETTO-OOOO???!!! dice Pescecane.

Niente, niente, fa la Dani.

Io l'ho sentita, ha detto... fa la bastarda Rapetti, ma la Michi le dice piano: Fuori ti pesto a sangue.

La Rapetti dice allora: Ha d-detto mi dispiace di essere una peccatrice.

Ah, fa il Pescecane, così va meglio. A chi tocca adesso?

Silenzio e mani scarpe e soffitto osservati con attenzione.

TU! Dice rivolta a me. E TU! rivolta alla Gabri.

Merda lo sapevo, dice la Gabri.

Non è vero che voi parlate sempre di atti impuri e guardate i maschi grandi che vanno sulle moto e vi spingono al male?

No! Dico io.

Chi gliel'ha detto? chiede la Gabri.

L'uccellino, dice il Pescecane. Lei dice sempre l'uccellino quando non vuole dire la verità e cioè che è quella bastarda della Rapetti che fa la spia.

E non è vero che c'è qualcuno che si diverte a spiare sua madre che è una donna perduta?

Boh, fa la Dani. Boh, facciamo in coro io la Gabri e la Michi.

Gabriella! Fa il Pescecane.

S-sì, fa la Gabri toccando il panino che ha nel sacchetto.

Lascia stare il panino, e dimmi, tua madre è sempre via di casa? E tua sorella Valentina vive sempre nel peccato? Ha sempre quel fidanzato debosciato? Va in moto? Si trucca?

Sì, dice la Gabri tutta rossa e con le lacrime agli occhi.

MALISSIMO! E voi cosa fate? La guardate? Sentite i suoi discorsi? Guardate i due debosciati quando si baciano?

Noooo... facciamo noi in coro.

Sul serio no?

Per davvero, lo giuriamo.

Non si giura!

Per davvero.

Va bene, dite cinquanta Ave Maria e cento Padrenostri per penitenza. Ci vediamo sabato prossimo.

12.

Michele il magro e Michele il porco
spasimanti di Teresa

Una volta che Teresa e Alfredo i miei genitori rimangono una settimana circa senza rivolgersi la parola Alfredo annuncia: Io me ne vado da questa gabbia di matti. Voglio la mia libertà. Voglio la mia indipendenza.

Prende la sua valigia e ci mette dentro: la collezione completa dei dischi di Fred Buscaglione, un libro che s'intitola Uomini e no, che non ha mai letto ma che tiene sul comodino perché gli piace il titolo, la scatola di plastica trasparente che contiene una rosa rossa appassita che lui conserva come una reliquia dato che gliel'ha buttata in faccia la cantante Wanda Osiris quando era militare e era andato a sentirla cantare. Mette ancora nella valigia un paio di vecchi pantaloni da sci e un paio di guanti di camoscio senza dita di quelli che servono per guidare e ci saluta.

Io chiedo a Teresa: Dove va pa'?

Teresa lancia un paio di madonne a modo suo e dice: Domandalo a lui. E poi continua: Disgraziato farabutto maledetto.

Chiedo ancora: E se non torna?

Teresa dice: Magari!

Io dico: Mi sa che questa volta non torna.

Teresa dice: Quello torna sempre purtroppo.

Intanto passano i giorni e Alfredo non si fa vivo. Teresa si confida con altre due madri. Con la madre della Silvia Padella che dice: Magari capitasse pure a me una fortuna così, mi sveglio una mattina e mio marito è sparito! E con la madre della Michi che dice: Io per me ci metterei la firma.

Comunque, da quando Alfredo è sparito c'è la novità di alcuni calabroni che cominciano a ronzare intorno a mia madre. Ne ho parlato con la Dani e lei dice: Bestiale! Così siamo uguali, anche tua madre ci ha l'amante!

Ma a me questa cosa non mi piace per niente. Ora vi descrivo i calabroni.

Prima di tutto ce ne sono due che hanno lo stesso nome e per distinguerli io e Teresa li chiamiamo Michele il magro e Michele il porco.

Michele il magro ha una Giulia di colore marrone cacca e sempre fa la battuta: Dài venite che oggi andiamo con la Giulia, ah ah, e ride. Noi due invece rimaniamo serie e appena si gira io mi tocco la topa in segno di disprezzo.

Questo Michele magro dice sempre delle cose noiose sulla sua ditta di camion e ripete ogni volta: Io ci ho sotto cinque camion, neh, mica uno scherzo! E Teresa fa un gesto con la bocca per dire: Madonna che potenza! Io invece appena non mi vede gli faccio una pernacchia.

Però bisogna dire che con questo Michele spernacchiato io e Teresa ci facciamo delle grandi mangiate visto che da quando Alfredo è partito noi abbiamo ancora meno soldi di prima. Quando ci porta al ristorante lui mi fa: Scegli carina, scegli quello che vuoi. E io scelgo. Lasagne al forno, cannelloni ripieni, fritture di pesce, gelati, torte... E mangio. Teresa per non far vedere dice: Ma sei matta a mangiare così tanto? Sembra che a casa non ti danno da mangiare!

Michele il magro è sbalordito e io penso che sta facendo il conto di quanto gli costo, però sorride a denti stretti e dice: Eh, falla mangiare che deve crescere... è vero carina? Io però non perdo tempo a rispondere e mi ingozzo.

Il secondo Michele, il porco, è un geometra grasso e schifoso come già si capisce dal nome, e Teresa mi ha detto che fa il sindaco di un paese vicino. Anche con questo andiamo nei ristoranti, ma in quelli ancora più di lusso perché il suo motto è: Nella vita si vive una volta sola.

Questo geometra Michele ci ha anche una famiglia, con moglie e tre figli, e quando saliamo sulla sua automobile guardiamo le loro fotografie sul cruscotto e scoppiamo a ridere, anche il porco ride come un matto. Questi suoi quattro famigliari sono uguali identici a lui, con quattro faccioni da luna piena ci osservano senza espressione.

Dopo che abbiamo mangiato come tre porci usciamo dai ristoranti e Michele il porco emette una serie di rutti di diversa tonalità. Quando arriviamo in macchina qualche volta poi succede che non riesce a trattenersi e molla anche una puzza. Dopo che ha ruttato si fa delle belle risate. Quando invece gli è scappata la puzza diventa rosso e dice: Scusate. E Teresa risponde: Tutta salute. Ogni tanto il porco guarda le fotografie della sua famiglia serio serio e osserva: Certo che le fotografie parlano, eh.

C'è anche un altro spasimante di Teresa che si chiama Domenico e lavora all'ufficio postale, e che quando parla pronuncia la esse al posto della zeta. E quando mi chiede: Oggi hai studiato la lesione? Ce l'hai un fidansatino? Ti piace questa pietansa?, io gli spaccherei la faccia.

Per fortuna che questo qui dura poco, perché una volta che siamo in un ristorante questo ignorante mi dà una carezza e mi fa: Ce lo dài un bacino allo sio Domenico?

Ma Teresa prende una forchettà in mano e grida: Togli le mani da lei sennò ti cavo tutt'e due gli occhi.

Tutti ci guardano, ma a Teresa non gliene frega niente. Domenico è pallido pallido e dice: E-e su che schersavo... Ma ormai è finita. Teresa non perdona.

Intanto, per un bel po' siamo andati al cine e al ristorante gratis.

La cosa che si diverte a fare Teresa con questi suoi tipi è di lasciarli a bocca asciutta. Dopo che ci hanno scarrozzato e fatto mangiare ci accompagnano a casa e a questo punto c'è sempre uno che vuole fare il furbo dicendomi: Ora non vai a comprarti un gelatino? Non vuoi andare a giocare con le tue amichette?

Ma io da lì non mi schiodo e dico: No.

Teresa fa una faccia finta dispiaciuta e dice: Eh... i bambini, sai come sono fatti... be' grazie tante, sarà per un'altra volta...

Quando restiamo io e lei mi dice: Ricordati che una donna sola deve sapersi difendere in questo mondo di lupi.

13.

C'è da dire anche degli abitanti del palazzo

Parlo ora degli abitanti del palazzo che non ne ho ancora parlato.

Al primo piano c'è la signora Iside e suo marito Achille Armanetta, che sono due molisani simpatici che non possono avere figli perché Achille è uno sterilone di prima categoria come ho sentito dire da Iside a mia madre. Hanno un negozio di latticini dove vendono scamorze, mozzarelle fresche, trecce, bocconcini e caciocavalli, tutti prodotti molisani autentici come loro. Loro vogliono che li chiamo zia Iside e zio Achille e certe volte mi tengono con loro nel negozio, e quando torno a casa Teresa mi dice che puzzo come una pecora.

Zia Iside è una donna energica che sembra la sorella gemella di Moira Orfei, è pettinata come lei con un bugnone enorme di capelli neri come il carbone e mi ha detto che quando li scioglie le arrivano sotto il culo. È anche bravissima a fare gli aborti e tutte le donne della zona si rivolgono a lei se hanno degli impicci. Zio Achille invece è un bell'uomo che è il sosia del mago Silvan, e molte volte quando va per la strada le persone si girano per dire: Ma quello è il mago Silvan! Sì è proprio lui.

È vero che questo zio Silvan viene comandato a bacchetta da sua moglie, però loro due vanno d'accordo, hanno sempre una parola simpatica per tutti e a noi poi ci fanno credito da una vita. In pratica a casa nostra di mozzarelle e caciocavalli non si è mai sentita la mancanza.

Vicino a loro ci abita un vecchio avaro e avido di soldi che i parenti hanno lasciato solo come un cane rognoso perché ha un carattere terribile e si dice che ha accumulato un sacco di milioni e se li tiene nascosti sotto il materasso. Non rivolge mai la parola a nessuno perché ha paura che deve entrare in confidenza e far venire gente in casa che prima o poi mira a fregargli i soldi.

Il vecchio si chiama Pippo, ma Alfredo lo chiama Belfagor.

Teresa bestemmia ogni volta che pensa ai milioni di Belfagor sotto il materasso e dice: Al mondo non c'è giustizia. Ma che crede quello, che se li porta all'altro mondo i suoi soldi?

La nostra vicina di pianerottolo è una vedova detta la Veneziana, e è una donna che sa fare un sacco di pratiche magiche. Sa leggere il futuro nei fondi di caffè e nei tarocchi, sa guarire dal fuoco di sant'Antonio, sa indovinare coi pendolini quando una donna è incinta cosa nascerà, e per finire sa pure mettersi in comunicazione con le anime dei morti nell'aldilà!

Una volta l'ho sentita rivelare a Teresa che suo marito morto torna ogni notte da lei e la soddisfa.

Certe persone vengono dalla Veneziana e le offrono soldi a palate chiedendole di fare fatture a morte e malocchi ai loro nemici. Ma lei li caccia via di casa insultandoli, perché vuole fare solo opere buone, dato che la sua teoria è: chi semina vento raccoglie tempesta.

Ogni tanto la Veneziana vuole fare i tarocchi a Teresa, ma mia madre è sempre molto scettica, perché secondo lei nella sua vita le cose possono mettersi solo peggio, tanto vale non sapere niente del futuro.

All'ultimo piano ci abita la Mapi che è una giovane carina che quando passa per le scale lascia una scia di profumo molto forte dato che lei lavora appunto in una profumeria. Io e le mie amiche ammiriamo molto la Mapi e da grandi vorremmo essere come lei perché è una che ha una grande raffinatezza nel truccarsi gli occhi e nel pettinarsi i capelli. Va vestita sempre alla moda con abiti mini e cappotti maxi, collant argentati, grandi cappelli eleganti anche con i fulard legati sopra. Insomma sembra uscita da una rivista di moda.

Mapi mastica tutto il giorno le cincingomme e quando la domenica non va a lavorare mette a tutto volume i dischi di Patti Pravo e Caterina Caselli, il celebre Casco d'Oro, e ogni tanto anche noi bambine possiamo andare a sentirli.

La nostra beniamina Mapi tutti sono d'accordo nel giudicarla una brava ragazza educata che si fa i fatti suoi, però con un solo difetto: che al posto di essere normale come tutti e andare coi maschi a lei piacciono le femmine.

Per finire, sempre all'ultimo piano c'è la famiglia Rovelli composta da due maestri elementari che non danno confidenza a nessuno e dal loro figlio albino Andreino. Questa famiglia sta sullo stomaco a tutti e tante volte la gente gli augura sciagure.

Il bambino Andreino non esce mai di casa tranne che per andare a scuola e passa tutto il suo tempo sul balcone a guardare gli altri bambini che fanno i loro giochi sulla piazza o nei giardini. Questo non sarebbe tanto grave se non fosse che Andreino si diverte a prendere per il culo tutti approfittando della sua postazione. Senza contare che poi gli piace anche tirare le palline di stucco con la cerbottana nelle gambe e nel culo di noi femmine. Quando però colpisce un maschio sono casini, soprattutto se si tratta di Lele Zita che in questo caso comincia a gridargli: Vieni giù varichina che ti spacco il culo. Vieni giù se hai il coraggio faccia di merda che te lo apro.

Allora per la paura Andreino scappa in casa e lo dice alla madre che subito scende giù per rimproverare Lele dicendogli: Adesso vado da tua madre e le dico di insegnarti l'educazione una buona volta.

Ma a Lele certe cose è meglio non dirle perché gli danno ai nervi e subito risponde: Signora non mi rompa i coglioni che le apro il culo anche a lei porca madosca.

La signora diventa tutta rossa di rabbia, non riesce a dire più niente e va via, tutti dicono allora a Lele Zita: Sei troppo forte Lele! Minchia come l'hai fatta tegare! Troppo bravo Lele.

E Lele aggiunge: Se mi scassa il cazzo un'altra volta glielo sbatto dentro, almeno ne gusta un po' di quello buono e si fa furba.

14

Vi parlo di confidenze, intimità
e Grand Hotel

Parlo ancora delle mie amiche del cuore. La Michi al contrario della Dani che è piccolina e magretta è piuttosto cicciotta, certo non bombola come la Gabri, però piuttosto cicciotta. Teresa sostiene che non sta male però, dato che è tutta grossa. Ha un grosso paio di trecciotte nere, un grosso culo, delle grosse mani, due occhioni grossi pieni di ciglione grossissime, insomma vi siete fatti un'idea.

I genitori della Michi hanno una salumeria e vanno d'accordo. Camminano per la strada mano nella mano o sottobraccio, e a me personalmente questo mi fa impressione perché non me l'aspetto di vedere due genitori tranquilli che si scambiano dolcezze e carezze.

La Michi invece mi ha detto che lei farebbe volentieri il cambio con altri due genitori, perché si vergogna delle figure che le fanno fare, sempre a sbaciucchiarsi per la strada, e poi tutte le notti il padre cavalca la madre con molti rumori e grida e lei prova vergogna da matti pensando che li sentono tutti.

I genitori della Michi anche Teresa non li sopporta, primo perché la madre si dà sempre un sacco di arie dicendo alle altre madri: Ah! Mio marito, sapesse! È sempre pronto quello! Non mi dica niente, se non lo fa per una sera impazzisce.

Poi perché un giorno che il padre della Michi le ha dato un passaggio in macchina le è saltato addosso e lei ha dovuto menare le mani per liberarsene.

Così ogni volta che la madre della Michi è lì che si vanta Teresa deve mordersi la lingua per non dire niente e farle fare una bella figura di merda davanti a tutte le madri.

Comunque, una cosa buona che ha questa madre della Michi è la mania di comprarsi sempre tanti giornali per femmine come: Intimità, Confidenze, Novella 2000, Grand Hotel e poi i fotoromanzi!

Noi amiche andiamo sempre a casa sua per divorarcene più che si può. La madre prima di andare a lavorare ci dice: Mi raccomando, fate tutti i compiti per bene, neh. Non distraetevi mica, neh. Noi facciamo sì sì con la testa e poi appena è uscita balziamo tutte al gabinetto perché è lì che la madre tiene i giornali.

Anche se il gabinetto della Michi è piuttosto stretto noi ci ammucchiamo lo stesso tutte per terra e cominciamo a sfogliare stando attaccate con le teste vicine perché non vogliamo saltare neanche una pagina. Alla Michi le interessano soprattutto le vicende d'amore delle dive del cinema e delle annunciatrici televisive, specie quelle di Maria Giovanna Elmi che è la sua preferita perché ha un'aria timida timida ma si vede che ce ne ha voglia da matti. La Dani invece si diverte di più a guardare la pubblicità che fa vedere una donna che prima aveva dei baffi tipo carabiniere e per questo non c'è uno straccio di uomo che ha il coraggio di rivolgerle la parola, poi si mette una crema, i baffi spariscono e la donna incontra subito uno che la sposa.

Quello che ci esalta di più però sono le lettere inviate dalle lettrici alla posta del cuore per ricevere consigli. I problemi che presentano queste lettere hanno tutti per argomento l'amore e il matrimonio e è sempre la Michi che vuole leggerle a voce alta, così può cambiare anche le parole come le gira per metterci il maggior numero di porcate possibile. Per esempio legge: Cara Intimità, sono una ragazza giovane di appena quindici anni e un giorno per la strada mi si è avvicinato un bel ragazzo che mi ha confidato di essere innamorato di me. Mi ha detto: Sono cotto di te, me lo fai venire duro, vieni che ci facciamo una cavalcata. Io ci sono andata subito perché sono una cagna in calore. Però adesso aspetto un bambino e lui non ne vuole sapere di sposarmi, anzi mi ha detto che lui sposato lo è già e che i bambini gli danno ai nervi. Aiutami tu cara Intimità che qui è scoppiata una bella merda e se lo sanno i miei mi fanno un culo come una casa.

Poi ci sono i fotoromanzi. Anche questi trattano di problemi simili a quelli della posta del cuore. Una storia che ci piace da matti è quella che racconta di una bella ragazza coi capelli lunghi e lucidi che ha un fidanzato serio con un buon impiego, però si innamora di un altro con la moto e la testa matta che la seduce e poi la pianta in asso. Allora lei capisce che il vero amore non si può mai averlo e si sposa col fidanzato serio ma noioso e lei ha perso ormai la voglia di vivere. Un giorno torna la testa matta e la ruba al marito un'altra volta perché si era sbagliato e ha capito che la ama troppo. E lei finalmente ritrova il sorriso.

Di solito il dilemma che capita a queste belle ragazze è quello del maschio che pretende LA PROVA D'AMORE. Allora la bella ragazza si pone questo problema: E se vuole solo divertirsi con me? E se poi pensa male? E se poi mi pianta? Però normalmente dopo un po' di tentennamenti si arrende alle voglie del maschio e gliela molla. Allora si vedono i due amanti dentro il letto lui col torso nudo lei solo col collo nudo, una faccia da funerale perché prima ha fatto la frittata poi si è pentita. Ma ormai è fatta. Spesso piange addirittura e ripete come un ritornello: E ora che cosa penserai di me?

Attraverso questi giornali noi capiamo che i problemi che si hanno a diventare donne sono davvero tanti che non si finisce più, dalla cellulite ai nasi storti, dalla puzza di sudore ai tamponi Tampax, dal marito che le fa le corna ai punti neri, alle amiche maligne, alla suocera che si immischia delle cose che non la riguardano, alle calze collant che si smagliano mentre sei a una festa e ci resti di merda goffa per tutta la festa.

15.

Le favole che ci raccontano a scuola

Le storie che invece ci tocca sentire a scuola sono molto diverse.

La maestra ha deciso che noi non conosciamo neanche una di quelle belle favole che una volta i bambini conoscevano, e che ora sappiamo solo quelle storie bruttissime che ci lasciano guardare alla televisione e che sono piene di violenza e diseducative. Ci porta lei un bel libro di favole.

La prima storia la legge la Rapetti perché è l'unica che legge bene e non ha neanche l'accento della bassa Italia. Racconta di una bambina con troppa fantasia che a scuola disubbidisce alla maestra e a casa alla mamma. E che si diverte anche a fare le imitazioni, aggiunge la maestra guardando verso il nostro angolo di meridionali.

Un giorno la bambina rimane sola in casa. La mamma prima di uscire le aveva detto: Bada di non toccare i fiammiferi, neh! E lei aveva risposto: Sì sì mamma. E invece appena è rimasta sola ha acceso subito un fiammifero. Che bello! Esclama, e comincia a saltare dalla gioia.

Salta salta e il fiammifero cade e incendia il vestito, il vestito appicca fuoco ai capelli, i capelli danno fuoco a tutto il corpo e la bambina è bella che carbonizzata. Della bambina che disubbidiva e si dava arie non rimane che cenere, ma le sta bene.

Quando la Rapetti ha finito di leggere la Dani mi dice: A me le favole mi hanno sempre fatto schifo.

Aldo Crocco invece ride da matti e la maestra dice: Non vedo proprio cosa c'entra il tuo spirito di patata adesso. Portami il diario.

Mentre che si alza per consegnare il diario Crocco manda fuori un paio di rutti di quelli che sa fare lui, dato che ogni momento può farne quanti ne vuole.

Tutta la classe ride e fa confusione. La maestra dice: Sospeso per una settimana.

Ma questa storia delle favole non è mica finita. Dopo la bambina carbonizzata è la volta del bambino Giovanni con la testa fra le nuvole, che un giorno mentre sta camminando a forza di continuare a avere la testa fra le nuvole cade in un canale e muore affogato e marcisce lì senza che nessuno si ricordi di lui.

Poi c'è la favola del bambino Roberto che disubbidisce sempre, che non vuole mai fare i compiti, che scrive con brutta calligrafia come le galline, che tira su col naso invece che soffiare dentro il fazzoletto.

E poi si sente bello e furbo come per esempio il vostro compagno Crocco, aggiunge la maestra.

Cosa succede a quest'altro disgraziato, succede che un giorno fuori piove e la mamma dice a Roberto: Mi raccomando, non uscire mica con questo tempo, veh, sta' a casa a fare i compiti. Lui ci fa: No no ma', sta' tranquilla. E poi invece per fare lo spiritoso esce lo stesso e si bagna tutto e quindi: primo, broncopolmonite doppia e sarebbe già in fin di vita, secondo, arriva una tromba d'aria che lo trascina via nel mare dove muore affogato e nessuno ha mai ritrovato il suo corpo.

Dopo la lettura di questa favola è sceso un silenzio che nella classe non si è mai sentito prima. Finché a un certo punto si sente una specie di sirena: Iiiiiihh... e tutti fanno un salto nelle loro sedie e si guardano intorno per vedere cos'è successo.

Questo non ce lo aspettavamo, è il figlio di contadini Marco Gallo che sta piangendo come un matto e ci ha un paio di orecchie a sventola rossissime.

La maestra ordina: Gallo finiscila di fare la femminuccia!

Ma il povero compagno Gallo chi lo ferma più, ha messo la testa sul banco nascosta fra le mani e piange disperato. La Dani dice sottovoce rivolta alla maestra: Bastarda troia vacca di merda che fai piangere il povero contadino Gallo.

La maestra batte la mano sulla cattedra nel suo modo che fa rimbalzare tutta la classe e dice: Bambini, non bisogna avere paura di guardare in faccia la realtà. Ormai avete l'età giusta per sapere come vanno le cose. Guardate per esempio la vostra compagna Raffaella Rapetti....

Sì signora maestra, dice la bastarda Rapetti, io credo che si può trarre un grande giovamento da queste favole, sono molto educative.

Leccami il culo, dice il compagno Stefano Pesce.

Ma la maestra non ha sentito perché il pianto a dirotto del compagno Gallo copre le parole. Dice: Eh!? Cosa hai detto Pesce?! E poi vede che tutti ridono e lei sempre più infuriata dice: Gallo! In castigo dietro la lavagna, anche tu Pesce, filare.

Ma non è giusto, non hanno fatto niente, dice la Dani.

Pertusi! Tu fuori dalla porta.

Mentre si alza la Dani mi fa: Me ne frego, intanto vado a fare un giro, fatti scacciare anche te, dài.

La maestra dice: Silenzio Pertusi, esci senza disturbare più la classe. Chi di voi vuole esprimere altri pensierini sulle favole che abbiamo ascoltato oggi?

La Rapetti ha di nuovo alzato la mano ma io ho fretta di andare fuori con la Dani, e dico: Queste favole sono tristi, mi fanno schifo, e poi fanno piangere il contadino Gallo. Dunque io propongo di non raccontarcele mai più.

Alla maestra le viene un coccolone e si accascia sulla sedia. Con un filo di voce dice: In castigo.

Io sono contenta.

Ma la maestra aggiunge: No, non fuori dalla porta, cosa credi, di essere più furba di me? Si ferma per respirare, poi aggiunge: In piedi con la faccia contro la carta geografica. E portami il diario che ti sospendo.

16

Faccio conoscenza da vicino del mondo dei ricchi

Io non dico niente a Teresa della sospensione, e per non farmene accorgere mi alzo alla stessa ora e me ne vado in giro fino all'una. Ma intanto in questo periodo lei ha altri problemi per la testa. Alfredo ha telefonato dicendo che ci vuole bene a tutt'e due e che è un disgraziato, ma per adesso ha dei contrattempi e ancora non può tornare.

Quello stramaledetto! Chissà che altro guaio ha combinato, dice Teresa.

Per fortuna che lei un modo per farci fare credito dai negozianti e dal padrone di casa lo trova sempre. Però a dire la verità dato che tutti quelli che conosciamo sono un po' come noi, non proprio a secco come noi, ma insomma tipo noi, io non capisco veramente che al mondo ci sono altre persone che di soldi ne hanno un mucchio, e che sono proprio diverse, ma tanto diverse da noi e da tutti quelli che conosciamo fino al giorno che siamo invitate al compleanno della ricca Raffaella Rapetti.

Di questa Rapetti io ancora non vi ho fatto la descrizione perché è così antipatica che non viene nemmeno voglia di descriverla, ma adesso la faccio. Io nei primi giorni di scuola partivo dalla mia postazione dell'ultimo banco dell'angolo dei meridionali e facevo la traversata dell'aula per raggiungere il primo banco e osservarmela da vicino questa bambina ricca settentrionale. La cosa che mi colpiva di più era prima di tutto la sua pelle bianchissima che la fa sembrare una bamboletta di porcellana, e questo è già un segno che mi fa sospettare che i ricchi non sono come noi perché nessuna delle mie amiche ha una pelle così bianca e pulita. Inoltre questa Rapetti ci ha due occhietti piccoli e incavati, e un nasetto minuscolo che sembra una virgoletta molto elegante appoggiata sulla facciolina di porcellana. L'altra cosa pazzesca sono i capelli, biondini e fini fini, lunghi fino al culo, ma così sottili e trasparenti che sembrano finti. Io un giorno mi tolgo la soddisfazione e domando: Scusa Rapetti ma sono veri i tuoi capelli?

Lei dice con la sua vocina tutta di naso tappato: Oh sì, se ti sembrano troppo belli è perché io me li lavo tutti i giorni con la lozione alla camomilla.

La camomilla a me fa schifo anche solo pensare di berla, figuriamoci nei capelli, e anche l'idea di lavarli ogni giorno mi fa schifo, perché lavarsi e farsi il bagno è una delle cose più schifose del mondo, e poi penso che non fa neanche troppo bene alla salute di prendere tanto freddo ogni mattina per lavarsi e strofinarsi.

La Rapetti abita in una villa sulla collina della Pesca. Noi ogni tanto ci facciamo dei giri su alla Pesca perché ci sono degli spiazzi dove spesso si fermano dei fidanzati o degli amanti clandestini che vanno lì a fare le porcate e noi ci divertiamo a disturbarli gridando e saltando.

Le ville che ci sono su questa collina sono vere ville da ricchi, di quelle coi cancelli, i prati con l'erba e sempre dei cani che stanno dietro ai cancelli e quando ci passi davanti ti abbaiano dietro arrabbiatissimi come per difendere i loro padroni ricchi dagli sguardi dei poveri che passano davanti. E nel loro abbaiare senti come delle parole che dicono: Vai via di qui povero e non dare fastidio al mio padrone ricco.

Una volta però ci entriamo nella villa della Rapetti. È il suo compleanno e allora lei ci fa: Perché non venite tutte a casa mia che facciamo una piccola festa?

La Dani subito dice: Io da quella troia non ci vado. Piuttosto mi mangio una merda.

La Gabri dice: Ma dài così vediamo casa sua. Mi ha detto che ha anche una piscina!

Dai andiamo, e poi magari spacchiamo tutto, dice la Michi.

Io ci sto perché sono proprio curiosa di vedere da vicino come vivono i ricchi.

Appena entriamo io già vorrei tornare indietro perché la bastarda Rapetti non ci fa nemmeno entrare in casa, con la scusa che è una bella giornata ci fa stare tutte nel giardino e da lì ci descrive la casa com'è all'interno mostrandoci con un dito le finestre. Quella è la stanza della serva, quella della biblioteca...

Dacci un taglio, fa la Bruna interrompendola subito, o ce le fai vedere dentro o chiudi il becco. La Rapetti rinuncia subito.

Dice: Ecco ho preparato qualcosa da bere e da mangiare...

E questo sarebbe qualcosa da mangiare? dice la Gabri che guarda piena di tristezza un piattino di plastica con qualche salatino messo lì.

Da bere invece ci sono le bottiglie di cocacola, gazzosa, aranciata e anche lo spumante, così ci mettiamo a bere e non parliamo. La Rapetti è imbarazzata e la Michi dice: Dài dicci qualcosa Rapetti.

La Rapetti si schiarisce la voce e poi parte in quarta con la descrizione delle sue ricchezze. Quelli sono i due cani mastini che servono per fare la guardia, se entra un ladro possono anche sbranarlo a morte. Quelli sono i loro garage dove c'è la Mercedes di babbo e la macchina sportiva del fratello e....

Intanto la Dani fa l'imitazione della Rapetti, la Gabri guarda incantata il giardino, i cani, e perfino le sedie a sdraio di plastica, la Silvia Padella si batte la mano sul culo e fa: Mio padre ha detto che quando arrivano i comunisti i ricchi li impiccano tutti, e nelle chiese ci fanno le sale da ballo. Poi senza farsi vedere calpesta l'erba, strappa dei fiori e tira sputi da tutte le parti.

Dopo un po' che siamo lì dalla casa esce una donna vestita come una pazza con una specie di tunica come gli arabi e chiama: Raffae-e-laaaaa. La Rapetti senza farselo ripetere, ubbidiente come a scuola se ne va subito dicendoci: Ora devo andare via perché è arrivata la maestra di pianoforte.

Questa storia del pianoforte ci lascia molto impressionate.

Perché cosa ci fai te col pianoforte, fa la Michi.

Cosa vuoi che ci faccia, lo suono, no!

Non ci credo, secondo me è una balla, fa la Dani.

La Silvia Padella dice: Il pianoforte è una cosa da museo d'antichità. Quando arrivano i comunisti spaccano tutti i pianoforti e i ricchi li bruciano vivi.

Quando stiamo tornando giù per la discesa della Pesca la Michi dice: Che merda! Non dovevamo andarci.

La Gabri dice: Lo sapete che mi ha detto che va anche a lezioni di tennis!

Se è per questo ci scommetto che va anche a sciare, fa la Bruna.

State tranquille che quando arrivano i comunisti a questi qui gli stringerà il culo, vedrete che figata! Ribadisce la Silvia Padella.

17.

Visita dei cugini argentini

Un giorno arrivano a trovarci i cugini argentini. Questi cugini sono i figli di Gaetano, il fratello di Alfredo, e li chiamiamo così perché sono nati proprio in Argentina, dove Gaetano era emigrato da giovane. I loro nomi sono: Gaetano iunior, Nunziatella e Rosetta.

Quando era giovane questo fratello di Alfredo tutti dicevano che era una meraviglia, così bello che somigliava all'attore Tairon Pover, l'unica cosa che aveva una testa scombinata con manie di grandezza a sproposito, diceva sempre che lui se ne voleva andare all'estero, che voleva fare i soldi, non dire grazie a nessuno e poi tornare a casa e sistemare tutti. A sua madre prima di partire aveva detto: Mammà quando ritorno a casa giuro che ti porterò una corona d'oro e di diamanti da mettere in testa, e una carrozza tirata da dieci cavalli bianchi.

E nonna aveva risposto: Sì Gaeta' così faccio la regina d'Inghilterra.

Gaetano parte per Buenos Aires e ci rimane cinque anni, ritorna con una moglie bassina con due grandi tette di nome Aida, una siciliana che ha trovato in Argentina, e con tre figli che sono appunto i cugini argentini.

Un po' di soldi devono averli fatti perché appena arrivati erano vestiti tutti e cinque con bellissimi cappotti lunghi fino ai piedi, Aida ci aveva pure il colletto di pelliccia e tutti dicevano di loro: Quelli buttano le bistecche dalla finestra!

Quando vengono a trovarci sono passati sei anni e zia Aida confida subito a Teresa che i quattro soldi che avevano fatto in Argentina Gaetano se li è già spesi tutti nella bottiglia e che hanno accumulato debiti a destra e sinistra e sono dovuti scappare dalla loro città rincorsi dai creditori. Questo è un peccato perché Teresa aveva pensato di chiedere un prestito a Gaetano perché s'immaginava che ora fosse ricco sfondato.

La novità che abbiamo all'arrivo dei cugini argentini è che Alfredo è tornato, perché ha detto che sognava tutte le notti la bonanima di mammà che era arrabbiata con lui e gli diceva: Alfredo torna dalla tua famiglia! Torna indietro Alfredo!

Noi per adesso non gli facciamo scenate perché c'è la famiglia di Gaetano e non vogliamo rovinare le feste. Alfredo riabbraccia Teresa, e anche me, e poi riabbraccia il fratello, zia Aida e i tre cugini. Il tutto dovete immaginarvelo con le lacrime di gioia, di pentimento e commozione.

Zio Gaetano appena vede Alfredo gli fa subito una lavata di testa dicendogli: Alfredo! Te lo dico come un fratello maggiore, come un padre e come un amico: un uomo può avere mille difetti ma che uomo è se lascia sole due donne?

Alfredo si asciuga le lacrime per il bel discorso commovente tenuto dal fratello e poi siamo pronti per festeggiare e sentire tutte le storie che zio Gaetano ha da raccontarci. Per ogni racconto ricco di avventure e coraggio che fa Gaetano ci sono i figli e la moglie che piegano le labbra e scuotono la testa come per dire: Non è vero niente. Ma Gaetano procede tranquillo.

Dopo che abbiamo sentito per un po' i discorsi dei grandi i cugini mi tirano da una parte e dicono che vogliono interrogarmi per vedere quanto ne so io delle cose importanti.

Importanti come? chiedo.

Importanti tanto per cominciare se so il significato delle seguenti parole: farsi una sega, farsi un pompino, farsi un ditalino, farsi una chiavata. Inoltre se sono a conoscenza del fatto che esistono degli occhiali speciali che loro hanno.

Speciali come? chiedo.

Speciali nel senso che servono per vedere maschi e femmine nudi.

Io non capisco bene e chiedo di spiegare meglio.

Loro mi dicono: Lavati le orecchie, devi essere più sveglia tu, si vede che sei una cresciuta nella bambagia. E poi spiegano con calma: Sono occhiali che da fuori sembrano normali, poi li metti e te ne vai a spasso, guardi la gente e li vedi tutti nudi.

NO! dico io.

Sì, dicono loro.

Bestiale, dico io, e penso che lo voglio raccontare subito alla Michi e alla Dani, perché vedere maschi e femmine nudi è uno dei nostri obiettivi preferiti.

Fatemeli provare subito questi occhiali, cugini, dico io allora.

Ma loro mi rispondono: Brava furba, e sì che noi diamo i nostri occhiali al primo che arriva.

Poi i cugini mi chiedono se mi piace la scuola, perché se sì loro me lo dicono subito che con me non vogliono averci niente a che fare.

Alle cugine Nunziatella e Rosetta l'unica cosa che gli piace della scuola è andare al gabinetto per fumare di nascosto e spiare i maschi che pisciano. Il cugino Gaetano iunior è più serio delle sorelle e afferma che a lui della scuola gli piace la geometria e poi guardare il culo e le cosce chiattone della maestra.

Per questo cugino io ci ho una vera passione, prima di tutto perché grazie a lui conosco il giornalino a fumetti Diabolik, poi perché mi racconta sempre un mucchio di barzellette sporche che io posso ridire alle mie amiche e farmi bella. Queste barzellette hanno tutte come argomento i preti e le suore, e ci sono storie di preti che si inculano fra di loro, preti che si inculano le suore, suore che si inculano i chierichetti, chierichetti che fanno pompini ai preti, alle suore, a chi capita.

Certe volte con il cugino Gaetano iunior parliamo di cosa vorremmo fare da grandi, lui dice che ha le idee chiare, che se per caso a sua moglie le viene il grillo di prendere la patente come fanno adesso tutte le femmine moderne e zoccole lui gli tira un bel pugno e non se ne parla più.

Questi cugini adesso girano con una rulotte, e di notte vanno a dormire tutti e cinque dentro la loro rulotte parcheggiata vicino a casa nostra.

Dei parenti di Alfredo Teresa dice sempre che sono una banda di beduini zulù.

18

Anche per noi c'è la scoperta dell'amore

Fin qui non vi ho ancora parlato dell'amore e allora è venuto il momento di parlare anche di lui.

L'amore quando si presenta? Si presenta un pomeriggio che io e la Dani siamo insieme nei giardini a giocare a biglie coi maschi. Siamo divisi in due squadre, in una c'è Lele Zita, Stefano Pesce e suo fratello di diciassette anni, tutti e tre fortissimi, nell'altra squadra ci siamo noi due femmine e Ivo cane d'ulivo che è una vera schiappa.

Ecco che arrivano due bambini gemelli. Quattro gambette lunghe e stecche che spuntano fuori da due braghe corte, quattro braccetti magrissimi e due facce di quelle che Teresa dice del Biafra. Però hanno due begli occhi verde smeraldo da attori.

Che belli! Mi dice la Dani in un orecchio.

Sì, che belli, dico anch'io.

I due gemelli belli si mettono lì a guardare la partita di biglie nella stessa posizione con le braccia incrociate e poi dicono: Ci lasciate giocare con voi?

Nessuno risponde.

Loro aspettano un po' e poi ripetono: Possiamo giocare anche noi?

Tutti guardiamo il temibile Lele Zita, ma lui continua a giocare, lancia uno sputo potente e non li caga.

La partita continua e Lele sbaglia un tiro, i due gemelli fanno una risatina con la mano davanti alla bocca.

Lele Zita sbatte la biglia per terra, si alza in piedi di colpo e fa: Mi rompe il cazzo che due finocchi mi guardano giocare.

E Stefano Pesce aggiunge: Smammare, andare a rompere i coglioni da un'altra parte.

Nessuno fiata più, il fratello di Stefano Pesce tira e va in buca liscio come l'olio. I gemelli dicono: Che bravo! Lui sì che sa giocare.

Lele Zita non ci vede più dalla rabbia, si alza di nuovo e schiacciando il naso di un gemello fa: Che cazzo ci hai da dire, eh? Pezzo di finocchio. Vuoi che ti apro il culo? Te lo apro eh?

L'altro gemello dice a questo punto una cosa che a Lele Zita non si dovrebbe mai dire e cioè: Ou, figlio di puttana!

Il fatto è che Lele un figlio di puttana lo è veramente nel senso che sua madre batte tutte le sere nel locale malfamato La Capannina. E così ecco che senza pensarci su due volte smolla un cazzottone sul naso del gemello che l'ha insultato.

Il gemello cade per terra, la classica strisciolina di sangue dei telefilm gli cola giù dal naso, lui piange forte guardandosi le mani sporche di sangue. Grida: Mamma miaaaaaa...

L'altro gemello vedendolo ridotto così interviene in sua difesa dicendo a Lele Zita: Cosa hai fatto a mio fratello figlio di put..., e questa volta non riesce nemmeno ad arrivare in fondo al suo insulto perché si ritrova sbattuto a terra, con un cazzottone sul mento e in più con Lele Zita che seduto sulla sua pancia insiste a riempirlo di pugni sulla boccia come se lo avesse scambiato per uno di quei sacchi che servono ai pugili per allenarsi.

I due gemelli rimangono stesi, fermi per paura di prenderne ancora, solo piagnucolando piano per non attizzare l'ira di Lele Zita.

I maschi se ne vanno perché Lele ha detto: Minchia, mi hanno fatto passare la voglia di fare la partita.

Stefano Pesce gli dà una pacca sulla spalla e dice: Minchia, sei stato troppo forte, Lele, troppo giusto!

Ivo cane d'ulivo aggiunge: Minchia gli hai suonato la boccia come un tamburo!

Io e la Dani rimaniamo a guardare i due gemelli che accasciati per terra ripetono: E ora che cosa diciamo alla mammaaaa...

Alla Dani viene l'idea che dobbiamo curarli e mi trascina alla fontanella per bagnare un fazzoletto e curare le ferite dei due gemelli.

Mentre che bagna il fazzoletto mi dice: A me mi piace quello che è stato pestato per primo. A te? Vuoi che ti lascio l'altro? Strizza il fazzoletto e dice ancora: Io mi voglio sposare con lui quando sono grande, tu no? Non ti vuoi sposare con l'altro?

Io allora ci penso un po', sento una grande emozione nella pancia e nello stomaco e dico: Minchia! Anch'io voglio sposarmi quando sono grande. Con uno dei due gemelli, o con qualcun altro.

19.

Facciamo progetti di matrimonio

Quando torniamo dai nostri due futuri mariti la Dani mi fa: Ou, chiedigli come si chiamano.

Chiediglielo tu, dico io.

Come vi chiamate?

Fulvio e Riccardo.

Ce l'avete la fidanzata?

I due gemelli alzano le spalle e non rispondono. Si guardano le magliette sporche e dicono di nuovo: E alla mamma cosa diciamo?

La Dani si offre di pulire le macchie sulla maglietta di un gemello che ancora non ho capito se è quello che le piace a lei o quello che piace a me, e se è Fulvio o Riccardo. Ma queste macchie diventano sempre più larghe e i due sono sempre più disperati.

Si alzano e se ne vanno dicendoci solo: Ciau, neh.

La Dani è diventata triste e dice: Porca merda, non ci cagano.

Io dico: Magari anche noi gli piaciamo, può darsi che sono timidi.

La Dani dice ancora: Porca merda.

La Dani si è presa una vera sbandata e spesso la sera mi viene a chiamare sotto il balcone e fa: Scendi dài che ti devo dire delle cose urgenti.

Scendo e chiedo: Cos'è successo?

Lei dice: Io quando penso al gemello mi tremano le gambe. Poi sono contenta e esaltata, di notte sogno sempre che ci diamo dei baci.

Io anche se penso all'amore mi esalto, dico io, mi piacerebbe darmi dei baci con un gemello.

La Dani dice: Ho scritto Riccardo ti amo sull'astuccio. Tu non lo scrivi? Poi pensa un po' e dice: Ma porca merda, chi è Fulvio e chi è Riccardo? Quello che piace a me è Riccardo? Non sarà Fulvio?

Ci sediamo sul muretto vicino al fiume e la Dani fa: Ho pensato dei progetti. Quando da grandi ci sposiamo ce ne andiamo a abitare in una bella villetta su alla Pesca.

E se non abbiamo i soldi? Chiedo io.

Ah no, io glielo dico subito che deve andare a lavorare e portare a casa un sacco di soldi, gli dico che deve fare anche delle ore in più, come faceva mio padre prima di uscire fuori di mina.

Io dico: A me invece va bene anche se siamo poveri e abitiamo in una casa schifosa sporca lurida, come quella delle tre zozze. Se lui non lavora sta tutto il giorno in casa e facciamo molti pieni di super.

La Dani ha seguito il mio ragionamento e fa: Orca merda, sai che hai troppo ragione! Se poi fa le ore in più e lavora troppo fa la fine di mio padre, e addio i pieni di super.

Lo vedi, faccio io.

Lei pensa ancora e poi dice: Quando ci sposiamo andiamo a abitare tutti e quattro nella stessa casa, ci stavi?

Troppo bello, dico io.

La Dani dice ancora: Solo che ho sentito mia madre

dire che quando in un matrimonio ci si mettono in mezzo altre persone è la fine. Non hai più la tua libertà, litighi tutto il giorno e finisce che ci si mette pure le mani addosso.

Allora io dico: Be', andiamocene a abitare vicini ma in due case separate, no?

Così secondo me è meglio, conferma la Dani. Ma loro secondo te ci vogliono? E se sono stitici? Se non ci cagano?

Anche a me viene il dubbio che magari sono stitici, però non voglio fare preoccupare la Dani: No, vedrai che ci cagano, le dico.

Davvero pensi che ci cagano?

Come con un litro di guttalax, confermo io.

20.

Entra in scena Natascia

Io e la Dani continuiamo a sospirare ancora per un pezzo dietro ai due gemelli Fulvio e Riccardo, ma chi li ha più visti? Per fortuna succedono altre cose.

Un pomeriggio mi vengono a chiamare sotto il balcone la Dani e la Gabri. La Dani è tutta agitata e mi fa: Ou, vieni a casa mia che è arrivata mia cugina grande!

Tua cugina? Bestiale!

Andiamo a chiamare anche la Michi e la Silvia.

Dài.

Arriviamo in casa della Dani e vediamo una ragazza con i capelli lunghi e pieni di ricci, una faccia rotonda e un bello spirito ribelle. Questo si capisce da come si veste: ha un paio di blugins pieni di toppe colorate, una casacca indiana con dei draghi e dei serpenti disegnati sopra, anelli grossi come noci a tutte le dita e anche delle spille con delle scritte che propongono: Fate l'amore e non fate la guerra!

Ci guarda senza ridere e tira fuori un pacchetto di sigarette.

Ci fa: Volete?

Noi ci informiamo: Che sigarette sono?

Lei ci dice che sono le Pack alla menta. Noi siamo

esaltate che qualcuno ci offre delle sigarette e le prendiamo subito perché tanto la madre della Dani in casa non c'è, ora ha preso la patente e gira tutto il giorno in macchina rincorrendo l'autobus del Ricciolino.

Le sigarette bruciano da matti la lingua ma sanno di menta e sono troppo buone. La Michi continua a rimanere a bocca aperta guardando fissa la cugina della Dani e poi chiede: Come ti chiami?

Lei fa senza cagarla molto: Natascia.

La Michi sempre con lo sguardo fisso dice: Che bel nome! Che nome strano, io non ho mai conosciuto nessuno che si chiamava così.

La Gabri chiede: Li hai pitturati tu i draghi sulla casacca?

Io e un mio amico, dice la misteriosa Natascia.

La Silvia Padella chiede: Ce l'hai il ragazzo?

La Natascia si vede che è scocciata, però risponde: In questo momento no.

Io ne approfitto per chiedere: Sei già sviluppata?

La Natascia fa un grido e dice: OOèèè!! E che è?! Il terzo grado?

Noi stiamo zitte per un po', la Michi non le stacca gli occhi di dosso, e dopo un po' dice: Ah, allora non ce le hai ancora le tue cose?

Io penso che adesso la Natascia farà un grande urlo e mi tappo le orecchie. Poi la guardo e invece non sta gridando, ha solo l'aria scocciata, si mangia le pellicine delle unghie, le sputa e fa: Uf! A me mi sono venute a 12 anni, ero la prima della classe.

Perché andavi bene? Chiede la Gabri.

Ma che bene, perché sono stata la prima a avere il marchese, dice Natascia continuando a sputare le pellicine.

Io chiedo: Sei brava a scuola?

Lei alza le spalle e fa una smorfia di disprezzo con la bocca, poi dice: A scuola non ci vado più. Alle medie mi hanno bocciata tre anni di seguito e poi mi hanno cacciata.

Che culo! Dice la Gabri.

Bestiale! Diciamo noi tutte in coro.

Anch'io vorrei essere già sviluppata, fa la Michi.

Anch'io vorrei essere scacciata per sempre dalla scuola, fa la Dani.

La Silvia Padella chiede: È vero che l'hai già fatto? La Dani mi ha detto che l'hai già fatto.

Tu non ti fai mai i fatti tuoi, eh? Dice la Natascia mollando un pugno in testa alla cugina.

Allora è vero? insistiamo, l'hai già fatto?

La Natascia ora non si mangia più le pellicine, si gasa da matti e dice: E cosa dovevo aspettare?

Noi siamo esaltate, la Michi è completamente partita e batte i pugni sul tavolo, poi domanda: E com'è stato? Hai goduto?

E la Dani dice: È vero che quando te lo infilano senti male e gridi come una bestia?

La Natascia sgrana gli occhi e fa: E chi cazzo ve le dice queste scemate?

Allora non è vero? Insiste la Michi.

Non è vero che gridiamo e sanguiniamo come delle bestie? Fa la Dani.

Ce l'ha detto Tore, e il suo amico Lupo, dico io.

Tore è sempre il solito scimunito, quando torna glielo faccio vedere io.

La Silvia chiede: Ma è vero che quando sei più grande poi lo vorresti fare ogni minuto?

Questo sì. Perché è la cosa più bella del mondo e non vorresti mai smettere.

MADOO-OOONAAAA... facciamo tutte.

E se lo sa tua madre? Non hai paura che ti pesta? chiede la Michi.

Io nella mia vita faccio quello che mi pare e piace. Deve ancora nascere quello che mi comanda a me. Afferma la ribelle Natascia.

Sei troppo forte, Natascia, fa la Gabri esprimendo il pensiero di tutte. Noi continuiamo a sentire i discorsi di Natascia e a farle mille domande per tutto il pomeriggio, perché lei è già diventata il nostro idolo e noi la seguiremmo anche all'inferno.

Poi dimostriamo di sapere anche noi delle cose, per esempio la Dani dice che lei sa come si fa per fare capire a un maschio che lo vuoi, la Natascia ride come di presa per il culo e dice, Eh, fammi vedere come si fa.

Be', prima lo devi guardare fisso, poi ti devi mettere un dito in bocca e lo muovi veloce, così.

Oppure c'è un'altra cosa che puoi fare, dice la Gabri, prima lo guardi fisso e poi ti passi la lingua sulle labbra, così.

La Natascia si sta spisciando dal ridere, fa: E chi cazzo ve l'ha detto?

Ce l'ha detto la Bruna, che è una nostra amica che sa tutto. È già uscita con Tore e si è fatta toccare dalla vita in giù.

Ma tu ce li hai i genitori? Chiede la Gabri.

Ce li ho sì.

E perché sei venuta a stare dalla Dani?

Volete saperlo?

Sì.

Dài!

Mio padre è venuto a cercare lavoro al nord, l'ha trovato e poi ci ha fatto venire su anche a me, a mia madre e a mia sorella più piccola. Quando il padrone di casa ci ha visti tutti e quattro gli è venuto un colpo, ha detto che non volevano bambini nel loro condominio, era una balla, non volevano terroni.

Davvero? chiediamo noi.

Quel bastardo ha detto a mio padre: sai io ho già chiuso un occhio sul fatto che venivi dalla bassa, perché poi sei una brava persona, sei un lavoratore e io rispetto sempre i lavoratori, non sono mica un razzista, però adesso hai fatto venire su dalla terronia tutta la tribù e allora c'è un limite a tutto.

Che bastardo! Fa la Dani.

Come a scuola, anche a scuola ci fanno così, vero Dani, faccio io.

È vero, fa la Dani.

Allora mio padre ha guardato gli annunci sui giornali, ha trovato una casa e ha telefonato, gli avevano detto, la casa è libera venite a vederla. Quando ci siamo presentati ci hanno guardato e hanno detto, ah ci dispiace, abbiamo già affittato, ci eravamo sbagliati. Mio padre ha messo le mani addosso al padrone di casa, gli ha spaccato la testa contro il muro e l'hanno portato dentro. Mia madre dice che adesso perde anche il lavoro.

Cacchio! fa la Michi, Che storia!

E lo sai che la madre della Gabri è scappata di casa? fa la Dani.

È andata via con un camionista, fa la Michi.

È vero? chiede la Natascia.

Sì, sì, diciamo tutte in coro, perché siamo contente di avere anche noi delle notizie sensazionali da raccontare.

Comunque non mi piace per niente stare qua, dice la Natascia.

E dove vorresti andare? chiediamo tutte.

Io vorrei andarmene via, lontano! Vorrei andarmene all'estero. In Inghilterra per esempio.

Bestiale! In Inghilterra certe volte ci va mio padre col

camion! fa la Padella. Mio padre è un camionista e dice che quando arriva il comunismo i padroni di casa li seppelliscono vivi.

Davvero? chiede la Natascia.

Te lo giuro, chiedilo a mio padre se non ci credi.

21

Conosciamo il dottor Granatella
pezzo grosso democristiano

Peppe, l'amico trafficone di Alfredo, quello che entra e esce di prigione perché spaccia assegni a vuoto e fabbrica soldi falsi, un giorno gli presenta il dottor Granatella. Dice Peppe che questo è un pezzo grosso democristiano che ha le mani in pasta dappertutto, negli ospedali, nei tribunali, dappertutto, non gli sfugge niente, e se prende a benvolere Alfredo siamo a posto.

Una sera Alfredo annuncia: Vestitevi eleganti, comportatevi bene che stasera siamo invitati a cena dal dottor Granatella!

Nientemeno! fa Teresa. E che vorrà?

E che deve volere, Tere', fa Alfredo, tu stai sempre a pensare male della gente.

Teresa insiste: E perché un pezzo grosso come quello dovrebbe invitare dei morti di fame come noi? Qua c'è sotto qualcosa.

La villa del dottor Granatella è una villa ancora più da ricchi di quelle della collina della Pesca, e questa volta posso vederla anche da dentro, mica come al compleanno della Rapetti.

Prima di tutto c'è un viale illuminato da lampioni grossi come quelli che ci sono per le strade. Anche qui ci sono dei cani, ma altroché due come dalla Rapetti, qui ce ne sono addirittura cinque! poi dentro la casa c'è anche un gatto, grasso come un porco, con un pelo che sembra che gli hanno messo addosso una pelliccia.

Teresa appena entriamo dice subito che si vede che questi sono carichi di soldi, che si capisce anche solo guardando quel gatto, perché così è l'usanza che hanno i ricchi, di tenere un animale grasso grasso e darci tutti i vizi di questo mondo trattandolo come se fosse un bambino, anzi molto meglio.

Io chiedo a Alfredo a che piano abita questo dottor Granatella, e lui si mette a ridere e dice che mica questi sono poveracci pezzenti come noi tanto per fare un esempio, che questa casa la abitano tutta loro, da soli.

Ecco che arriva Granatella e io lo guardo molto attenta per vedere com'è fatto un pezzo grosso democristiano. Questo pezzo grosso è lungo e magro, con una faccia scavata e tutta bucherellata, ha un vestito da elegantone a doppiopetto blu. Ci viene incontro e ci stringe la mano, pure a me me la stringe! Fa una specie di sorriso e così mette in mostra tutta la dentatura da cavallo che si ritrova.

Poi arriva la moglie che è anche lei una lunga e pelle e ossa uguale al marito. Dà la mano solo a Teresa e a Alfredo e fa un sorriso tirato dicendo che adesso arriveranno anche le loro figlie. Dice: Due si stanno vestendo, la terza farà un po' tardi perché in questo periodo sta tutto il giorno vicino a Daniel che è ammalato.

Oh, mi dispiace, dice Teresa. Chi è, il fidanzato?

Oh, no, Daniel è il suo tesoro, il suo unico amore, la sua fissazione... Daniel è molto più di un fidanzato.

Ah, fa Teresa.

È il suo cavallo, dice la signora Granatella.

Ci sediamo in un salotto pieno di fotografie di cavalli, quadri che raffigurano cavalli, trofei di gare di cavalli eccetera. Teresa guarda in giro e le scappa da ridere. Mi dice piano: Questi ci hanno proprio la passione dei cavalli.

Io dico: Anche lui sembra un cavallo.

Alfredo dice: Non facciamoci sempre riconoscere per i cafoni che siamo.

A un certo punto ecco che scendono dalle scale le due figlie Granatella. Sono vestite come due pazze, capelli lunghi da ippi che secondo me non pettinano e non lavano da due mesi almeno, minigonne di camoscio, stivaloni sopra al ginocchio come quelli dei tre moschettieri e poi collane, collanine, braccialetti e anellini. Una ci ha una fascia intorno alla testa come un indiano e l'altra un fazzoletto pieno di medagliette appuntate sopra. Per non parlare poi del fatto che hanno due occhi tutti truccati di nero e di blu che sembrano non so cosa.

Teresa osserva a bassa voce: Io se avessi due figlie che si conciano così gli darei tanti di quei calci nel culo.

La signora Granatella fa: Ecco qui Fabiana e Carlotta, le nostre biologhe.

Io e Teresa ci guardiamo e siamo molto impressionate.

Ci mettiamo a mangiare e qui ecco che siamo serviti e riveriti da una vera cameriera con tanto di grembiulino e cuffietta. Io ho fame, mi butto sulla minestra ma mi viene subito da sputare tutto perché ha un sapore che non mi convince. L'occhio di Teresa però mi controlla e minaccia.

Quando ci portano il secondo, assaggio subito anche quello, che forse è carne o forse è pesce, non si sa, comunque non mi piace per niente, e così accumulo tutto in bocca e faccio una specie di polpetta che non riesco a mandare giù.

Per fortuna a un certo punto si apre la porta e si spara in casa un'altra pazza che somiglia alle prime due pazze. Questa è vestita da cavallerizza, col berretto, gli stivali e tutto il resto, entra e scoppia a piangere buttandosi fra le braccia della madre. Ora che tutta l'attenzione è rivolta verso la cavallerizza io posso sputare la polpetta che ho accumulato in bocca e che è diventata gigantesca, la schiaccio col piede e pian piano la infilo sotto il tappeto.

Poi guardo anch'io la pazza e penso chissà perché piange, forse è rimasta senza soldi o è stata licenziata come succede sempre a Alfredo.

Ma la signora Granatella dice: Sapete, è per via di Daniel. Camilla piange spesso, è un animo nobile.

Il dottor Granatella aggiunge: Sì, è troppo sensibile questa ragazza.

E la signora Granatella insiste: Al mondo è un male essere così sensibili.

Teresa invece dice: Al mondo ci sarebbe già tanto da piangere sui cristiani, altro che sulle bestie.

Alfredo lancia un'occhiata storta a Teresa. Ma lei continua: Se uno nella vita ci avesse dei veri problemi tante scemate gli passano subito subito.

Tutti stanno zitti. Poi la Camilla triste dice: Mamma, vorrei mangiare qualcosa.

Giulia, porta subito qualcosa per Camilla, dice la signora Granatella.

Camilla comincia a mangiare una minestrina e si mette a gridare con la bocca aperta: GIU-ULIA !!! SEI LA SOLITA CRETINA!!! LO SAI CHE MI FA SCHIFO IL FORMAGGIO NELLA MINESTRAAA!!

E poi rivolta alla madre parlando con molta dolcezza: Vedi mamma, ma perché la Giulia non capisce mai niente. Mi tocca sempre rimproverarla.

La cameriera Giulia è tutta rossa e dice: Scusi signorina, e fa per portare via il piatto.

Ma la Camilla triste di nuovo gridando aggiunge: MA QUANDO È CHE LA LICENZIAMO QUESTA QUI-III...

Eh, Camilluccia, ci vuole pazienza con la servitù, afferma la madre.

Con questa ne abbiamo avuta anche troppa, dice una delle due ippi biologhe.

È vero, conferma l'altra ippi biologa.

Il dottor Granatella dice: Be', non è facile trovare della servitù, se uno non si accontenta dei negri.

E la Camilla dall'animo troppo sensibile aggiunge: Senza contare che al giorno d'oggi pretendono pure di essere messi in regola!

22.

La volta che Mina mi ha baciata

Quando torniamo a casa reduci dalla famiglia Granatella Teresa insulta Alfredo a più riprese e dice anche: Ci fosse una volta che mi porti a conoscere una persona decente. O farabutti o zulù beduini.

Alfredo dice: E che? Pensi che io mi diverto con questi? Tere', io lo faccio solo per amore della mia famiglia! Tere' quanti sacrifici sa fare un uomo per la sua famiglia!

Teresa dice: Alfre' qua è meglio che te ne stai zitto sennò esplodo.

Per un po' di tempo Alfredo continua ad andare a trovare il dottor Granatella e a fare discussioni violente con Teresa sull'argomento di votare per i democristiani alle elezioni. Perché questo è quello che il dottor Granatella ha chiesto ad Alfredo, di prendere la tessera del partito sia lui che Teresa, e di votare per loro fino alla fine dei suoi giorni, un patto di sangue.

Teresa grida: Mai e poi mai, piuttosto mi faccio tagliare la testa.

Tere' ragiona per una volta. Non mi mettere nei guai, io l'ho promesso.

Ma tanto chi mi controlla?

Tere' quelli controllano tutto. TUTTO!

Finché un giorno Alfredo ottiene finalmente un posto di lavoro come segretario di un dentista. Lui deve stare lì da questo dentista, prendere le telefonate, fissare gli appuntamenti, aprire la porta a quelli che arrivano e basta.

Quando viene a darci la notizia Teresa dice: Ma non è un lavoro da donne?

Ma che donne e donne, Teresa, solo questo sai dire? Bella soddisfazione.

E che devo dirti ancora?

Ma come! Ho trovato un lavoro serio, da un dottore!

Speriamo bene, fa Teresa.

La prima volta che Alfredo arriva a casa con un vero stipendio facciamo grande festa. Invitiamo anche i vicini di casa: prima di tutto zia Iside e zio Achille perché se lo meritano per tutto il credito che ci hanno fatto e per tutti i soldi che non hanno ancora visto da noi e mai vedranno, invitiamo pure la Mapi e la Veneziana e Teresa va a chiamare anche la Peperina con la Dani e viene pure il Ricciolino perché ormai la tresca che hanno questi due è diventata di dominio pubblico e nessuno ci fa più caso.

Alfredo ha comprato i ravioli, il prosciutto, i formaggi e finanche pasticcini e spumante. Ha regalato a Teresa un nuovo mangiadischi con i dischi di Nada e Domenico Modugno. Domenico Modugno però a Teresa non piace e nasce una discussione.

Facciamo grande festa e balliamo con la musica a alto volume fino a tardi. I vicini di sopra, gli antipatici Rovello vengono a suonare alla porta dicendo che chiamano i vigili se la musica continua.

Teresa litiga con la signora Rovello dicendo: A che serve l'istruzione se uno non sa stare al mondo?

La Peperina balla con zio Achille e fa tutte le smorfie e le risatine come fa sempre lei.

Teresa balla col Ricciolino che secondo Alfredo stringe troppo, per questo gli vuole spaccare la faccia.

Zia Iside prende Alfredo e dice: Balliamo compare! Non ci pensare, divertiti!

La Veneziana e la Mapi si scolano un bicchiere dietro l'altro e poi cominciano a ballare insieme tirandosi manate sul culo, tocchignandosi le tette e divertendosi molto.

Anche io e la Dani ci ubriachiamo e ci addormentiamo con la testa sul tavolo.

Le scorribande che facciamo con i soldi che guadagna il padre sono molto divertenti e a Teresa e Alfredo gli viene la mania di andare a ballare e per la prima volta vedo che c'è una cosa che li fa andare d'accordo, la passione per il ballo.

Quando Teresa si deve preparare per andare a ballare è sempre felicissima e tutta agitata e ci mette addosso anche a noi una grande agitazione. Sempre ripete tutta la sera così: Oddio! E ora che mi metto? Oddio! Che mi metto addosso?

Alfredo che non ha mai molta pazienza dice: Mettiti così che sei veramente elegante. E dice questo per ogni vestito. Teresa si arrabbia e dice: A che serve un marito che non sa mai dare un consiglio? Alfredo si arrabbia e comincia a gridare. Teresa però non si lascia mai mettere i piedi in testa e grida più forte di lui, che bellezza.

Poi arrivo io che imito Teresa e mi vesto, mi cambio, mi spoglio e mi rivesto sempre gridando come lei: Oddio che mi metto? Che mi metto addosso?

Alfredo allora batte la testa contro il muro per colpa di queste due donne che secondo lui hanno lo scopo di mandarlo al manicomio.

La cosa bella è che i due genitori vogliono sempre andare a ballare nei posti dove si esibiscono i cantanti. Per esempio una sera andiamo a sentire il famoso cantante Gino Paoli che tempo prima si era sparato una pallottola nel cuore per amore di una donna e che però si è salvato. Poi andiamo a sentire la celebre Pantera di Goro Milva che canta con la bocca larga ma canta bene.

Per entrare in questi locali bisogna fare sempre delle discussioni con i padroni che vogliono vietare l'ingresso ai bambini e allora Alfredo inventa una scusa dicendo che noi entriamo e usciamo subito, oppure certe volte minaccia di usare la violenza e di spaccare tutto, a seconda di come gli gira.

Una sera Teresa è esaltata perché può finalmente andare a sentire la sua cantante prediletta, la temibile Tigre di Cremona: Mina!

Arriviamo in una sala da ballo vicino al mare e davanti all'entrata c'è un mucchio di gente e noi ci infiliamo lì in mezzo al mucchio e io penso che fra poco tutta questa gente mi schiaccerà e io morirò senza vedere neanche la Tigre di Cremona.

Ma ecco che salgono delle voci che dicono: Arriva! Uh arriva! È proprio lei! Eccola eccola che arriva.

Una grande macchina bianca si ferma lì proprio vicino a me e poi ecco che scende una donna giovane alta e sorridente e sapete chi è? Esattamente lei, la Mina!

Tutta la gente è in delirio e grida e batte le mani e vuole toccare la Tigre, io mi accorgo che nella confusione ho perso Teresa e Alfredo, però chi se ne frega, sono vicinissima a Mina, così vicina che a un certo punto fermi tutti lettori, la Tigre abbassa lo sguardo verso di me, mi vede, mi sorride, si china e oplà! mi prende su e io ci ho questo momento di gloria e penso che poi lo racconto alla Dani e alla Michi appena le vedo, anzi lo racconto a tutti. Mina mi dà un bacio che direi puzza di viski, e pure una carezza sui capelli.

Dopo mi mette giù e il momento di gloria è già finito merda.

Io rimango lì dicendo parolacce a bassa voce e poi arriva Teresa arrabbiata e mi dice che se provo a sparire così un'altra volta mi cambia i connotati, e poi che io sono fatta apposta per rovinarle i momenti di relax.

Io sostengo che non sono sparita, ma anzi me ne stavo proprio lì in mezzo alla folla addirittura in braccio a Mina, che mi ha anche baciata, e che puzzava di viski secondo me.

Teresa dice: Tu sei pazza. Sempre a inventarti fantasie che non stanno né in cielo né in terra. Tale e quale a tuo padre.

Poi arriva Alfredo e io ripeto di nuovo l'avventura che mi è capitata. Lui dice: Questa è pazza, ma è normale, ha ripreso tale e quale da sua madre.

Dentro il locale c'è di nuovo Mina che ha acchiappato il microfono e ci dà dentro a cantare e chi la ferma più. Ci sono musiche veloci e lei con la bocca spalancatissima che si agita e si sbraccia, e anche canzoni più lente con le luci che si abbassano e si crea una bella atmosfera da grandi porcate con le coppie che ballano e si strusciano stretti come veri maiali. C'è aria di sesso e io sto bene attenta perché spero di vedere qualcuno che limona, chissà se vedo anche qualche maschio che fa l'amore con una femmina.

Teresa anche lei ci dà dentro a ballare con Alfredo e dopo arrivano altri maschi che la vogliono invitare a ballare e qui succedono sempre scenate con Alfredo gelosissimo che vuole ammazzare tutti e Teresa furiosa che gli dice che non sa stare al mondo.

Poi si siedono e Teresa dice qualcosa nell'orecchio di questo padre e ridono e fumano e se la stanno spassando proprio. Quanto a me, nessuno mi vede, come se fossi trasparente, meno male che ho il mio divertimento a guardare quelli che limonano e si palpano, perché a me col cavolo che qualche stronzo mi invita mai a ballare.

23

A scuola scoppia la rivoluzione

A proposito di famiglie c'è da raccontare un'altra avventura che succede a scuola.

Una volta siamo costretti a fare un tema che s'intitola: Descrivo la mia famiglia. La maestra quello che ci ha insegnato è che bisogna sempre scrivere la verità, basta che non offendiamo il buon gusto però. Questo lo dice soprattutto per i temi che facciamo noi dell'angolo dei meridionali che sempre offendono la sensibilità della maestra e della Rapetti raccontando le nostre vicende. Allora questa volta la maestra ci fa molte raccomandazioni, dicendo che se ci mettiamo della buona volontà anche da noi altri si può cavare fuori prima o poi qualcosa di decente.

Ci mettiamo d'impegno a fare i nostri temi e la Dani parte subito dicendo: Minchia, questa volta so cosa scrivere! Questa volta magari becco la sufficienza.

Nel suo tema racconta dunque tutta la storia del padre che soffre di stitichezza e sorprende la madre che fa le lingue col Ricciolino e dà in escandescenza finendo alla neuro come sappiamo. E poi ci mette anche la storia dello zio che viene sbattuto fuori di casa perché fa arrivare su dalla terronia tutta la tribù.

Poi c'è il tema di Aldo Crocco che racconta del padre

che non trova lavoro e loro che vivono di debiti, del fratello che sta in carcere perché l'hanno preso mentre cercava di scassinare una serratura e perdipiù della madre che sta sempre incinta e che quest'anno ha raggiunto il primato di 10 figli e 10 aborti tondi tondi.

Io anche racconto di Alfredo e Teresa, delle loro litigate e anche degli spasimanti di Teresa che ci portano a mangiare nei ristoranti.

Il giorno dopo la maestra entra in classe con i capelli dritti, sbatte la cartellina dei temi sulla cattedra, ne tira fuori tre e grida: Questi temi sono indecenti! Questi temi sono un insulto al pudore! e li strappa con rabbia davanti ai nostri occhi, ma solo dopo avere segnato sul registro un due meno meno a me e alla Dani e un uno meno a Crocco.

La Dani mi chiede: Cosa vuol dire pudore?

Nell'intervallo confrontiamo i voti e c'è il solito dieci e lode della Rapetti più vari otto e nove. L'unica consolazione che c'è il tre e mezzo del contadino Gallo. Ma nessuno ha preso dei voti bassi come i nostri.

Quando torniamo verso casa io e la Dani siamo un po' abbattute, la Dani dice: Merda adesso mia madre mi apre il culo. Merda adesso cosa le dico?

Io ho paura a tornare a casa, perché so che mi aspettano gli insulti di Teresa, e allora vado a casa della Dani.

Qui incontriamo la Natascia che si sta arricciando i capelli con fogli di giornali arrotolati, fuma una sigaretta Pack e mangia dei datteri. Dice: Oè, che è sta faccia da funerale? Vi è morto il gatto?

La Dani scoppia a piangere e la Natascia sbatte sul tavolo i datteri e dice: Che minchia vi è successo?

Allora noi siamo contente di poterci sfogare e raccontiamo tutte le bastardate che la maestra ci fa ogni giorno. Io dico anche di quando mi chiama zingara e marocchina.

Mentre parliamo Natascia spalanca sempre di più gli occhi, la faccia si copre di macchie rosse e dice: GIURATE! Giurate che è vero!

Noi diciamo in coro: Giuro!

Il giorno dopo Natascia entra nella scuola sgominando la sorveglianza del bidello Sputo che subito la blocca dicendo: Dove vai signorina? Natascia dice: Porto la merenda a mia cugina. Sputo replica: Ce la porto io signorina, dimmi l'aula. Natascia dice: A mia cugina la merenda ce la porto io.

La porta si spalanca e appare Natascia. Grida: DOV'È QUELLA PUTTANA FETUSA?! e cerca con gli occhi la maestra che subito è corsa a rifugiarsi fra i banchi dei bambini ricchi, ha preso la Rapetti in braccio dicendo: No, io non ho fatto niente!

Natascia l'ha individuata e si avvicina gridandole sulla faccia: BRUTTA ZOCCOLA SCHIFOSA!! CHE È 'STA COSA CHE TIENI I BAMBINI IN UN ANGOLO COME ANIMALI?! BRUTTA MIGNOTTA MARCIA, IO TI CAVO GLI OCCHI, IO TI AMMAZZO.

La maestra è diventata gialla e così impaurita sembra ancora più brutta. Dopo che gialla diventa bianca, poi cade giù e sembra morta.

La Rapetti si alza e grida: Aaaaahhhh aiutooooo!!! e corre a chiamare il bidello Sputo che arriva insieme ai bidelli degli altri piani, agli altri maestri e agli altri bambini. I bambini sono contenti del casino, ridono felici che è morta una maestra e ne approfittano per vederle le gambe e le mutande.

Un maestro le tocca il polso e dice: Non è morta, è solo svenuta. E tutti fanno un verso di delusione.

Intanto Natascia ha conquistato la pedana della cattedra e ci è saltata su fregandosene della maestra svenuta per terra. Poi tiene un comizio dove denuncia tutte le malefatte della puttana fetusa sostenendo che oltre che malvagia bigotta e crudele non ha mai avuto un uomo in vita sua che l'ha guardata una volta.

Nel frattempo la Dani e Crocco saltano felici e si divertono a cantare a squarciagola grandi parolacce alla maestra che non può sentire niente. Anche Marco Gallo con la Gabri e altri settentrionali poveri se la spassano e strappano quaderni e sussidiari facendone aeroplani da lanciare addosso alla maestra e alla Rapetti.

La Rapetti piange vicino alla maestra dicendo: Signora maestra si svegli, signora maestra dia un castigo a tutti i compagni indisciplinati, metta delle note.

Intanto i maestri parlano e si diffondono notizie esagerate. Una maestra chiede al bidello: Ma com'è successo? E Sputo risponde: La signorina è arrivata e mi ha tirato un pugno per entrare in classe, poi ha sparato alla maestra perché aveva dato un brutto voto a sua cugina.

Come sparato? Allora è armata?

Certo che è armata.

In quattro e quattr'otto i maestri e i bidelli scappano, chi corre per la strada chi dice che è più sicuro chiudersi nei gabinetti. Restano solo i bambini e il maestro Giacchino, che viene sempre a scuola ubriaco e ancora non ha capito cosa sta succedendo.

Poi arrivano i carabinieri.

24

E così finiamo tutt'e tre dai carabinieri

Così eccomi con la Dani e la Natascia in una vera caserma di carabinieri. Siamo in una stanza dove ci sono due carabinieri, uno lungo e magro e l'altro basso e grasso. Il magro sta seduto a una macchina da scrivere, il grasso sta in piedi e fa le domande a Natascia e viene chiamato dall'altro maresciallo.

Natascia lì sembra molto a suo agio, è contenta che può continuare a fare il suo comizio di denuncia di tutto quello che nel mondo va male.

Il maresciallo dice: Non alzi la voce signorina.

Io sono sicura che adesso ci sbattono dentro e lì ci fanno marcire per sempre.

Sopra la testa del maresciallo ci sono tre grandi fotografie incorniciate, e io chiedo: Chi sono quelli? E mentre il maresciallo sta rispondendo: Sono il papa, il presidente della repubblica e... Natascia interviene dicendo: Altri tre ladri fetenti.

Il maresciallo dice: Signorina non mi faccia perdere la pazienza. Si controlli sennò sono costretto a...

E il carabiniere magro interviene dicendo: Questo lo devo scrivere marescia'?

E il marescia' sempre più nervoso risponde: Ma che scrivi? Ma che vuoi scrivere? Oggi mi portano al manicomio.

Natascia riprende a parlare a voce più bassa, ma man mano che continua la alza sempre di più bestemmiando contro i maestri, i padroni di casa e i razzisti fino a raggiungere i ministri il governo e il presidente della repubblica tutti ladri fetenti sfruttatori solo buoni di rubare mangiare e sfruttare la gente.

Il carabiniere magro che insiste: E questo marescia'? Questo lo scrivo, sì?

Il marescia' emette una specie di urlo di Tarzan: MA CHE SCRIVI!!! CHE VUOI SCRIVERE!!! E poi intima: FUORI! USCITE TUTTI FUORI DI QUI-III!!!

Quando stiamo in un'altra stanza io chiedo a Natascia: E ora? Siamo in prigione ora?

Ma che prigione e prigione, in prigione ci devono andare loro! Dice indicando altre tre fotografie che rappresentano sempre il papa, il presidente della repubblica e un altro che non sono riuscita a capire chi è.

Quindi il marescia' apre la porta e sembra più tranquillo, offre una sigaretta a Natascia lumandole anche le cosce accavallate che fuoriescono dalla minigonna. Dice: Non se la prenda signorina, si sa che qui in alta Italia noi meridionali siamo sempre mal visti.

Dà un'altra lumata e fa: Se permette vi accompagno a casa.

Il marescia' ci accompagna fin sotto casa con la macchina dei carabinieri e noi riscuotiamo grande successo con tutti che si girano e si fermano a guardarci.

Natascia invita il marescia' a prendere il caffè da lei perché dice che è stato umano e comprensivo. Mentre saliamo le scale lui seguita a lumare le cosce di Natascia e si asciuga il sudore dalla fronte. Quando arriviamo a casa il marescia' dice a me e alla Dani: Bambine simpatiche, non andate fuori a giocare con le amichette?

Noi rispondiamo: No. E ci sediamo di fronte a lui guardandolo fisso.

Lui si schiarisce la voce e dice di nuovo: Eh, ci vuole pazienza, signorina, i settentrionali mica ci possono vedere a noi della bassa Italia. Natascia replica che lei di pazienza ne ha avuta fin troppa, e che se succede ancora una cosa del genere fa una strage.

Il marescia' finisce di bere il suo caffè e se ne va guardando me e la Dani con antipatia.

Quando torniamo a scuola vedo che è successa la rivoluzione. Guardo verso il nostro angolo di meridionali ma al nostro posto ci sono tre settentrionali. La Dani deve sedersi vicino alla settentrionale ricca Simona Ghersi, anche Crocco è vicino a un settentrionale, ma si tratta sempre del contadino povero Marco Gallo. Io poi sono seduta vicino al settentrionale Luca Tettamanti che però è uno che è sempre stato seduto da solo nel banco perché ha una malattia della pelle che si ricopre di pustole e vesciche piene di pus che ogni tanto scoppiano inondando chiunque gli passa accanto.

È però vero che nessun meridionale ha conquistato un posto in prima fila, perché quelli sono riservati alla Rapetti e al nuovo arrivato Piercarlo Bisio, settentrionale figlio del primario dell'ospedale.

Quando facciamo il tema ci viene dato il titolo a piacere. La maestra senza leggerli nemmeno mette tutti bei voti come otto, nove e dieci. Legge solo quello della Rapetti che merita dieci e lode e che ha per titolo: Descrivo la mia maestra, dove le sono fatti grandi leccamenti di culo. Per questo Crocco ha sputato addosso alla Rapetti all'intervallo.

C'è solo il figlio di contadini Gallo che ha meritato dal cinque al sei, perché lui ha scritto solo il titolo, Tema a piacere, e poi è rimasto a fissare la copietta vuota per tutta la mattina.

25

L'estate, il mare e l'Adri a pancia in giù

Per fortuna che quando arriva l'estate ci lasciamo alle spalle la scuola le suore la Rapetti e tutto quanto.

Appena vede che è uscito il sole Natascia ci dice: Sapete cosa c'è di nuovo? Noi domani ce ne andiamo al mare e chi s'è visto s'è visto.

L'indomani mi sveglio presto e vado dalla Dani e siamo tutte in agitazione. Cominciamo a girare come due matte per la casa per cercare i costumi da bagno, le creme abbronzanti, gli asciugamani, il salvagente e la nostra testa, come dice la Natascia.

Quando arriviamo al mare nella spiaggia libera c'è troppa gente e Natascia decide di andare a sdraiarsi sulla riva delle spiagge a pagamento. Appena ci sistemiamo arriva il bagnino che dice: Scusa sai ma se non hai un'ombrellone in questa spiaggia non ci puoi stare. Questo è il regolamento.

Natascia dice: Ma non lo sai cosa dice la legge? La legge dice che a tre metri dal mare le spiagge sono di tutti. Dunque non rompermi le scatole che io vengo al mare per stare in pace e rilassarmi.

Il bagnino dice che non è vero e chiama il proprietario che dice: Io questa legge non la conosco.

Natascia dice: Peggio per te, informati.

Il bagnino dice: Che faccio? La porto via?

Natascia dice: Prova a toccarmi con un dito che ti cambio i connotati.

Il proprietario vede che la gente guarda e dice: E va bene per questa volta potete rimanere.

Natascia ribatte: No, non per questa volta. Io al mare ci vengo come e quanto voglio, capito?

Il proprietario dice: Signorina non alzi la voce non è da sola qui.

Il bagnino dice: Il mare a certa gente fa male. E poi rivolto a me: Se poi affoghi non chiamarmi.

Quando siamo in pace Natascia tira fuori la radiolina transistor dalla borsa, mette la musica a alto volume, si allunga sull'asciugamano e dice: Ah che bellezza! Sentite come si sta bene. La prossima volta andiamo alla spiaggia libera. Ma ora la soddisfazione non gliela dò.

Quando è stufa di stare allungata si mette seduta e comincia a fare i commenti sulle persone che ci passano davanti. Dice: Guarda! Guarda quello che ha una pancia come un maiale. E quell'altra! A quella per tirarle su le tette ci vuole una gru. Eccetera.

Al mare ci vengono anche la Michi, la Gabri e le altre. Di solito ci divertiamo a spiare attraverso le fessure e i buchi delle cabine, ma più che altro si vedono donne e qualche bambino che si cambia. La Michi dice che non c'è sugo perché lei guarda sempre sua madre quando si spoglia e allora chi se ne frega di vedere altre femmine. Una volta però la Dani è arrivata di corsa dicendo che ha visto due maschi che facevano porcate con una femmina e lei se le faceva fare e era tutta goduta.

La Gabri dice che due maschi e una femmina insieme non ci crede. La Dani mette le dita a forma di croce sulla bocca e le bacia e dice: Lo giuro.

Poi ci sono i babanetti milanesi o piemontesi che vengono in vacanza. I piemontesi sono più simpatici, però stanno sempre attaccati alle loro madri che ripetono di non mangiare troppi gelati che gli viene il mal di pancia, di non stare troppo in acqua che gli viene un colpo e di non stare tanto tempo con la testa al sole che poi spellano e gli viene la febbre.

I milanesi sono più disinvolti e più belli. Ogni tanto lumano un po' noi femmine, ma in generale non è che ci cagano troppo. Se ne stanno tutto il tempo a giocare al calciobalilla oppure a fare la lotta fra di loro e così a noi femmine ci tocca starcene sulla boa a parlare con i mammoni piemontesi cercando di farli innamorare di noi.

Un anno è arrivato giù da Ovada un bambino bello di nome Osvaldo e subito ci siamo cotte marce tutte quante di lui. Questo Osvaldo di Ovada però è un super stitico che si dà un sacco di arie, non dà confidenza a nessuno e sta sempre attaccato a sua sorella Santina. Secondo la Silvia Padella è un finocchio, secondo la Bruna ce l'ha piccolo.

Quando lui fa il bagno anche noi ci fiondiamo in acqua, quando va a comprarsi un ghiacciolo ci lanciamo dietro, quando si siede su una sedia della rotonda noi pure. Lui non ci guarda nemmeno, e non parla neanche con gli altri maschi. Allora la Silvia dice che forse non è finocchio, è solo un besugone tonto.

In compenso c'è la sorella del besugone che ci si attacca e vuole starci amica. Noi non la sopportiamo perché è una che dice sempre delle battute che non fanno ridere nessuno, non capisce mai i nostri discorsi e per ogni cosa che diciamo chiede: Cosa vuol dire? E poi quando ha capito dice: Questa è buona, va' che questa è proprio buona.

La Michi propone di pestarla e che non se ne parli più. La Dani che è cottissima del besugone Osvaldo dice invece che potremmo starle amiche, poi ci facciamo invitare a casa sua e saltiamo addosso al fratello.

Il risultato è che ci ritroviamo la noiosa Santina incollata al culo e il bello di Ovada che si fa sempre più i fatti suoi e certi giorni non viene nemmeno al mare. Ogni giorno appena arriviamo troviamo questa Santina che è già lì che ci aspetta e ci corre incontro facendoci le feste, noi cerchiamo di non farci vedere ma lei ci scopre subito e fa: Cosa facciamo di bello oggi? Io ce n'ho una buona da raccontarvi. E parte con le sue barzellette che sa solo lei dove le pesca perché non fanno ridere nemmeno col solletico.

Al mare ci vengono anche la Vale sorella della Gabri col suo ragazzo, il bellissimo Adri detto il Pupo.

Quando l'Adri si spoglia noi ci appostiamo sedute in fila dietro di lui per prendercene una vista, lui lo sa e fa apposta a spogliarsi lentamente per mettersi in mostra. Quando i due fidanzati sono in costume si allungano sull'asciugamano e cominciano a darci dentro con limonate ruscate e toccamenti vari. Noi continuiamo a osservarli con attenzione.

Poi la Gabri va lì per fare uno scherzo crudele e dice: Vale facciamo il bagno?

La Vale con gli occhi chiusi risponde: Fra poco, e riprende a ruscare.

Ma la Gabri insiste: Adri e tu? Tu ci vieni a fare il bagno?

Fra un po', dice il Pupo.

Perché? Perché fra un po'?

Il Pupo si mette a pancia in giù e dice: Ora non posso alzarmi.

E perché? Continua la Gabri.

Il Pupo ride con sorriso da svenimento e guarda la sua ragazza.

Se il Pupo si alza ora chiamano la pula, fa la Silvia Padella.

Altro che quel finocchio di Ovada! Dice la Michi.

E così non riusciamo a trattenerci e ci spisciamo dal ridere continuando a lumare il Pupo, il più bel figo della spiaggia che sta sempre a pancia in giù.

26

Preparativi per la grande fuga

Un giorno andiamo a chiamare la Natascia e la troviamo affacciata alla finestra che guarda in giro con aria annoiata. Noi diciamo: Andiamo al mare Natascia?

Lei alza le spalle e dice: Io mi sono scocciata di andare al mare. Voi non vi scocciate mai?

La Michi che ormai fa e dice tutto quello che fa e dice il nostro idolo Natascia approva subito dicendo: Sì sì anch'io mi sono scocciata. Madonna che noia andare al mare.

La Gabri dice: Allora andiamo da un'altra parte, andiamo a fare un giro su alla Pesca.

Ma che pesca e pesca, fa la Natascia, ormai non siete più delle bambinette che vanno al mare sotto casa e che sono tenute al guinzaglio dai genitori.

Tutte noi la guardiamo perché non capiamo quello che ci vuole dire il nostro capo Natascia. Lei continua dicendo: Ma lo volete capire che oggi il mondo è pieno di giovani ribelli che a casa non ci stanno più neanche se li ammazzano?

La Gabri chiede: E dove vanno i giovani ribelli?

La Natascia risponde che i giovani ribelli non vanno in un posto preciso, ma partono all'avventura per conoscere il mondo.

L'avventura è sempre piaciuta anche a me, fa la Gabri.

La Natascia fa una faccia scocciata e dice: Con voi è inutile parlare, credevo che volevate essere grandi e fare come me, mi sono sbagliata, andate, andatevene al mare.

La Silvia risponde: Ou, noi siamo grandi e sappiamo un sacco di cose.

La Dani dice: Io per esempio so cosa vuol dire fare il settantanove e la pecorina.

Anch'io lo so, dico io.

La Michi ci guarda male e dice: Voi due siete sceme, state zitte. Dài dicci cosa vuoi fare, Natascia.

La Natascia si accende una Pack alla menta, ce ne dà anche a noi e propone: Scappiamo di casa?

La Michi dice: Per me va bene. E aggiunge che se non siamo delle loffie lo facciamo anche noi.

La Dani dice: Io però ho paura che se lascio la mia mamma poi piango giorno e notte.

Io di mia madre me ne frego, fa la Michi per farsi bella col nostro capo.

La Gabri dice: Mia madre intanto è già scappata lei di casa.

E poi dove andiamo? chiede la Michi.

Ah, adesso ti viene la strizza, fa la Dani.

Cacchio dici, voglio sapere dove andiamo perché così mi preparo meglio.

Io propongo questo: Andiamo a Roma.

La Silvia mi guarda da antipatica e dice: Che cacchio facciamo a Roma.

A Roma c'è il papa, dice la Gabri.

Ehi, calma, fa la Natascia, se si parte si parte per sempre. Butta fuori una boccata di fumo e dice: E si va all'estero.

Bestiale! fa la Dani.

Quando partiamo? Partiamo subito? fa la Michi sempre per farsi bella.

Dov'è l'estero, chiede la Gabri.

Il nostro idolo aggiunge: Io voglio andare in Inghilterra, questa è la mia meta.

In Inghilterra! Bestiale, continua la Dani.

La Gabri chiede: Ma ci sarà da mangiare in Inghilterra?

La Natascia dice che in Inghilterra c'è da mangiare tutto quello che si vuole. Perché la roba non si compra, si gratta!

Conviene, dico io.

La Dani chiede: E cos'altro ci troviamo lì? Per esempio, ci sono i film sporchi? Si vedono delle puttane in Inghilterra?

La Silvia dice che di puttane c'è pieno lì, e che suo padre infatti dice sempre: le straniere sono tutte delle grandi troie.

Per davvero? Ce n'è così tante?

Natascia dice: Lo sapete che lì si può andare in certi parchi grandissimi, grandi come tutta l'Italia, e c'è pieno di giovani arrabbiati allungati sull'erba che limonano, suonano la chitarra e fanno delle ammucchiate.

La Gabri chiede: Cosa sono le ammucchiate?

Io m'informo: Possiamo limonare anche noi con dei maschi?

La Dani fa: E se poi ci vedono le suore? Se qualcuno lo va a dire alle madri?

La Michi dice: Siete sceme, a noi nessuno ci può più dire niente. Siamo ribelli e guai a chi ci scoccia.

E poi c'è un'altra cosa che si trova in Inghilterra, fa la Natascia.

Eh, diciamo tutte esaltate.

Il mio ragazzo mi aveva detto che lì ti danno certe sigarette, tu le fumi e cominci a vedere doppio.

Io la prima cosa che faccio appena arrivo in Inghilterra mi fumo due o tre di queste sigarette, fa la Gabri.

Allora abbiamo deciso? Scappiamo? Dice la Natascia.

Noi accettiamo.

Con cosa partiamo? Chiede la Silvia.

La Dani dice: Partiamo con la bici?

Io propongo: Facciamo l'AUTOSTOP! Perché l'autostop è la cosa più da ribelli che c'è al mondo.

Sì, e chi cazzo le carica sei babanette tutte in fila che fanno l'autostop? Poi se la danno subito che siamo scappate di casa e ci riportano dai genitori.

E allora?

Allora prendiamo il treno da clandestine.

La Michi dice ancora: La Natascia ha ragione.

27

Riuscirà la grande fuga?

L'appuntamento è per le dieci della mattina dopo dal muretto vicino al fiume. Le prime a arrivare siamo io e la Gabri. La decisione che abbiamo preso è che è obbligatorio vestirci tutte da ribelli e originali come la Natascia. La Gabri si è messa una tunica indiana della sorella che le va strettissima e poi un medaglione al collo con la faccia del motociclista Giacomo Agostini che è il suo campione prediletto. Io ho un fazzoletto legato sulla fronte come gli indiani, i blugins schiariti con la candeggina e una spilla che ho trovato sul mercato che dice: Vietnam libero!

Ou, siamo le prime, fa la Gabri.

Io dico: Speriamo che le altre non ci tirano un pacco.

La Gabri dice: Ci guardano tutti. Io mi vergogno.

Ci sediamo sul muretto e la Gabri tira fuori il pacchetto di sigarette Pack, ce ne accendiamo due e cominciamo a parlare delle cose che faremo in Inghilterra. A un certo punto la Gabri sgrana gli occhi e comincia a tossire forte. Io dico: Cacchio succede.

La Gabri dice: Cazzo! Cazzo di budda!

Io guardo nella sua direzione e dico: Minchia! Il Pescecane in agguato!!

Il Pescecane in persona si sta dirigendo a passi minacciosi verso di noi. Butta! Butta la cicca! dico alla Gabri.

Lei dice: Eh? e mentre dice Eh? il Pescecane ci ha già raggiunto.

GABRIELLA!

Eh? fa la Gabri.

Ti ho visto! Questa volta ti ho visto! Prova a raccontarmi ancora una bugia adesso!

La Gabri continua a fare Eh? e non capisce più niente.

Il Pescecane inizia coi suoi interrogatori: Cosa ci fate sempre in giro? Quanto tempo è che fumate le sigarette? Chi ve le insegna queste cose? Vi drogate anche?

Noi stiamo zitte come due eroi che non confessano e non parleranno mai.

Il Pescecane implacabile continua con la sua tortura: Perché siete vestite come due matte? Cosa avete architettato ancora? E conclude: Voi siete delle sciagurate delinquenti, chissà che brutta fine farete.

Noi continuiamo a resistere, Pescecane sta quasi per andarsene, poi ci ripensa, si ferma, e dice: Ora vi porto dalle vostre famiglie, andiamo. Glielo spiegherete a loro cosa ci fate in giro a fumare, vestite come due matte.

Io penso: Merda! e mi dico che tutti i nostri piani sono andati all'aria, dentro di me maledico tantissime volte il Pescecane cercando di eseguire una magia per farle venire un colpo e lasciarci in pace. Ma il Pescecane non lo ammazza nessuno, grida che dobbiamo ubbidirle e la Gabri ha cominciato a piangere. Io penso che devo fare qualcosa.

Dico: Scappiamo Gabri, dài, scappiamo. La prendo per mano e attraversiamo di corsa i giardinetti mentre sentiamo Pescecane che continua a gridarci dietro: Delinquenti, maleducate, assassine.

Facciamo il giro e ci nascondiamo sotto il ponte, da lì possiamo controllare il muretto dove abbiamo l'appuntamento, e avvisare le altre quando arrivano. Spiamo il Pescecane che è rimasto fermo lì con le labbra strette per la rabbia, la Gabri ride, ha la faccia rossissima e fa: Cazzo! Troppo forte!

Gliel'abbiamo messo nel culo, eh! faccio io.

E se lo va a dire alle nostre famiglie?

Fregatene, dico io, fra poco noi siamo già in Inghilterra.

Intanto il Pescecane se ne è andato. Noi rimaniamo appostate sotto il ponte circondate dal puzzo di piscio e la Gabri dice: Qui quelle puttane non arrivano, mi sa che ci hanno tirato il pacco.

E invece ecco che dopo poco arrivano la Dani con sua cugina e nostro idolo Natascia. Noi usciamo allo scoperto e gridiamo: Ehi, siamo qui, ehi, ci siamo!

Ci arrampichiamo su per il muretto e la Dani fa l'imitazione della Gabri che si arrampica col fiatone.

Io dico: Sapete! È arrivato il Pescecane!

Sappiamo, sappiamo, fa la Natascia che porca merda sa proprio sempre tutto.

E come fate a saperlo?

La Dani dandosi delle arie dice: L'abbiamo vista mentre gridava. Ci siamo nascoste dietro un cespuglio dei giardinetti e abbiamo aspettato che se ne andava.

La Natascia ci dice: Certo che voi siete proprio due tonne, fumare lì per la strada, vestite così.

Io dico: Ou, le altre col cacchio che arrivano.

La Dani dice: La Silvia se la faceva nelle braghe, secondo me non viene.

Poi sentiamo un fischio e ci giriamo tutte e diciamo: Eccole!

La Michi è vestita quasi normale, però si è fatta delle belle righe di sporco sulla maglia e sui blugins. La Silvia ha una camicia del padre che le sta larghissima e una borsa con un drago disegnato sopra.

Ora che ci siamo tutte diciamo: Si parte?

Sì partiamo.

E c'incamminiamo. La Michi propone: Passiamo prima dalla Pesca per bruciare la villa della Rapetti?

La Dani dice: Bruciamo anche la scuola?

Siamo tutte d'accordo. Solo la Natascia interviene dicendo: Non dobbiamo perdere tempo, dobbiamo allontanarci prima che possiamo, sennò i genitori ci beccano.

La Gabri dice: Io ho fame.

La Michi dice: Andiamo a comprarci dei gelati, ve li pago io.

E dove hai trovato i soldi?

Li ho fregati nel negozio dei miei genitori.

Miiii-inchiaaaa, sei troppo forte Michi.

Sì troppo forte.

La Silvia fa: Hai fatto una cazzata, non si deve rubare ai genitori.

Perché? Che mi frega?

Io dico che non è giusto. Rubare va bene ma ai ricchi e ai bastardi, non ai genitori, dice la Silvia.

La Michi dice: Ou, hai finito di rompere le palle, va', tornatene a casa.

È tutta fifa, ti è venuta la caga e adesso devi romperci le palle, dice la Gabri.

La Silvia è diventata rossa e dice: Te stai zitta cicciabomba.

La Michi dice: Bastarda! e salta addosso alla Padella pestandola con graffi sulla faccia e tirate forti di capelli.

La Natascia tira giù due bestemmie e poi fa: Lo sapevo che non avevate il coraggio e che adesso vi viene la strizza. Io vi mollo qui e me ne vado.

A questo punto la Michi e la Padella smettono di pestarsi, fanno la pace e ci rimettiamo in cammino.

La Dani è esaltata e corre sputando su tutte le macchine, va avanti e poi torna indietro. La Natascia dice: Non fare il pagliaccio. Non fatemi fare figure di merda.

Intanto siamo arrivate alla stazione e ci guardiamo in giro.

Per fortuna c'è poca gente, fa la Natascia.

La Michi fa: Mizzica che emozione! È la prima volta che vedo una stazione!

Speriamo che non ci becca la pula, fa la Silvia.

Ci sono due vecchie che ci guardano male e la Dani propone: Andiamo a ruttare in faccia alle vecchie.

La Michi ha adocchiato due ragazzi vestiti da militari e fa: Che bei fighi, me li farei subito. Anche tu Natascia te li faresti?

Ma la Natascia non risponde perché sta guardando verso il parcheggio della stazione, Ehi, Dani, quella è tua madre! Tua madre sta scendendo dalla macchina.

Alla Dani si drizzano i capelli, smette di lanciare sputi e fa: Minchia!! Chi glielo ha detto? Minchia ci hanno beccato!

Siamo fottute, dice la Silvia, è finita.

Addio Inghilterra, dice la Gabri.

Io dico: È stata quella troia del Pescecane! È stata lei lo so.

E come faceva a sapere che venivamo alla stazione? chiede la Dani.

Quella sa tutto, quella legge nel nostro pensiero, lo diceva sempre, dice la Gabri.

Non sparate cazzate, dài che quello è il nostro, fa la Natascia guardando un treno che sta fischiando.

Arriva mia madre! fa la Dani.

Saltiamo sul treno? Dice la Michi.

La Silvia dice: Aspettate. Io ho paura.

Fifona, non ti sto mai più amica, dice la Gabri.

Andiamo! dice la Michi.

Venite? fa la Natascia che ha cominciato a correre.

Lei si mette a correre e noi le corriamo dietro.

La Dani chiede: Ma dove stiamo andando?

È sicuro che questo treno va in Inghilterra? domando io.

Venite e vedrete, dice la Natascia continuando a correre.

La Dani dice: Porca merda! Sta arrivando mia madre!

La Gabri fa: C'è anche la pula! Adesso ci arrestano.

La Silvia Padella si è fermata e si è messa a piangere. La Michi l'ha tirata per un braccio dicendo: Dài fifona, sbrigati.

La Natascia è arrivata allo sportello, l'ha aperto e è salita su, io e la Dani siamo arrivate subito dietro, ci siamo fermate sulla porta per tirare la Gabri per un braccio perché non ce la faceva a salire. Mentre la tiriamo si è strappata una manica della sua casacca indiana.

La Silvia Padella è arrivata sotto lo sportello e ci guarda, ha smesso di piangere ma tira ancora su col naso, la Michi continua a dirle, Dài fifona, sbrigati porca merda. A un certo punto le dà una spinta forte sul culo che la spinge sui gradini. Noi la tiriamo dentro.

Ora giù c'è solo la Michi, dice: Io resto qui.

Ou, sei scema? Diciamo tutte. Il treno comincia a muoversi.

No, non vengo, poi se mi becca mia madre me lo apre.

Che stro-onzaaaaa!! facciamo tutte.

La Gabri dice: Dài, non fare la merda.

La Silvia dice: Che merda che sei.

La Dani dice: Be', ciao Michi, però sei una merda.

Ciao, mandatemi una cartolina dall'Inghilterra,

Sì, ciao,

Quando tornate?

Bo', diciamo noi, forse mai più.

La Michi ci ha guardato ancora, ha fatto una faccia come di chi sta per cominciare a piangere, Ciao neh, ha detto ancora.

Ciau, abbiamo detto noi.

Poi finalmente ha fatto un balzo e è salita anche lei.

INDICE

9   1. *Perché andiamo sempre a casa della Silvia Padella*

13   2. *La descrizione dei dialoghi che si svolgono in casa della Silvia Padella*

17   3. *Racconto dei giochi della nostra compagnia di amici e del mio modello di vita libera Pippi Calzelunghe*

21   4. *Descrizione di quelli con cui vivo io*

27   5. *Quali sono le vere passioni dei nonni Filomena e Leonardo*

31   6. *Alfredo alla fine torna sempre*

35   7. *Presentazione della scuola e di tutte le sue ingiustizie*

41   8. *La madre della Gabri un giorno scappa di casa*

47   9. *Il padre della Dani invece finisce al manicomio*

51   10. *Tore e Lupo sono due maschi che si vantano troppo*

55   11. *Parlerò adesso di suor Primina e di suor Pescecane*

61   12. *Michele il magro e Michele il porco spasimanti di Teresa*

65   13. *C'è da dire anche degli abitanti del palazzo*

69   14. *Vi parlo di confidenze, intimità e Grand Hotel*

73   15. *Le favole che ci raccontano a scuola*

77   16. *Faccio conoscenza da vicino del mondo dei ricchi*

83   17. *Visita dei cugini argentini*

87   18. *Anche per noi c'è la scoperta dell'amore*

91   19. *Facciamo progetti di matrimonio*

95   20. *Entra in scena Natascia*

101   21. *Conosciamo il dottor Granatella pezzo grosso democristiano*

107   22. *La volta che Mina mi ha baciata*

113   23. *A scuola scoppia la rivoluzione*

117   24. *E così finiamo tutt'e tre dai carabinieri*

121   25. *L'estate, il mare e l'Adri a pancia in giù*

127   26. *Preparativi per la grande fuga*

131   27. *Riuscirà la grande fuga?*

Stampa Grafica Sipiel
Milano, settembre 2006